중학생을 위한

중3 교과서
대표 영단어
800

KB093921

문법, 듣기, 독해, 쓰기...
공부할 것은 너무 많고 시간은 없다!

내신 준비도 잘 하고, 영어 실력도 쑥쑥 키우고 싶은
중학생들에게 꼭 필요한 영어책

중학생을 위한 시리즈

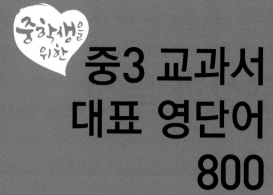

중학생을 위한

중3 교과서
대표 영단어
800

구성과 특징

1 내신 시험 적중 100% 교과서 단어 800개

외울 단어가 많나요? 걱정하지 마세요!
중3 영어 교과서에서 쓰인
모든 단어를 분석하여
필수 단어 800개를 엄선했어요.

2 하루에 딱 20개만 40일이면 중3 영단어 끝

단어를 무작정 많이 암기하지 마세요!
하루에 20개씩 40일만 투자해 보세요.
40일 후에는 영어 실력이 쌓이고
영어에 자신감이 생길 거예요.

3 주제별 단어 정리로 연관된 단어끼리 쉽게 암기

단어를 알파벳 순서대로 암기하지 마세요!
같은 주제별로 분류하여 단어를 암기하면
단어들이 머릿속에 고리로 연결되어
쉽게 암기할 수 있어요.

오늘의 단어

❶ 필수 단어 800개를 주제별로 정리
❷ 단어의 의미 파악에 도움이 되는
   적절한 어구와 예문 제시
❸ 표제어의 주요 파생어 수록
❹ 불규칙 변화 동사의 3단 변화형 제시
❺ 암기를 돕는 사진 수록

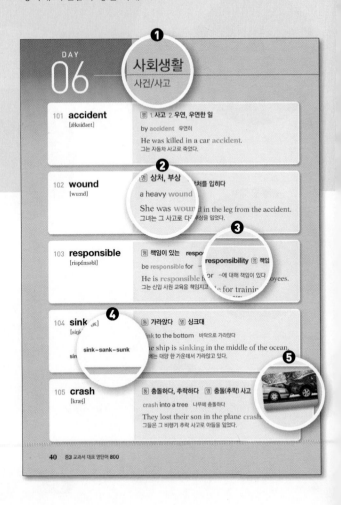

DAY 06 사회생활
사건/사고

101 **accident**
[ǽksidənt]
명 1. 사고 2. 우연, 우연한 일
by accident 우연히
He was killed in a car accident.
그는 자동차 사고로 죽었다.

102 **wound**
[wuːnd]
명 상처, 부상 동 상처를 입히다
a heavy wound
She was wound in the leg from the accident.
그녀는 그 사고로 다리 부상을 입었다.

103 **responsible**
[rispánsəbl]
형 책임이 있는 responsibility 명 책임
be responsible for ~에 대해 책임이 있다
He is responsible for ~ employees.
그는 신입 사원 교육을 책임지고 ~ for training

104 **sink**
[siŋk]
동 가라앉다 명 싱크대
sink to the bottom 바닥으로 가라앉다
The ship is sinking in the middle of the ocean.
배는 대양 한 가운데서 가라앉고 있다.
sink-sank-sunk

105 **crash**
[kræʃ]
동 충돌하다, 추락하다 명 충돌(추락) 사고
crash into a tree 나무에 충돌하다
They lost their son in the plane crash.
그들은 그 비행기 추락 사고로 아들을 잃었다.

40 중3 교과서 대표 영단어 800

4 일일 TEST, 누적 TEST, MP3로 꼼꼼하게 복습

20개마다 일일 TEST로, 100개마다 누적 TEST로
외운 단어를 꼼꼼하게 복습하세요.
또한 단어만 듣기 MP3와 문장까지 듣기 MP3로
따라 말하면서 입과 귀로도 익히세요.

DAILY TEST 06 사회생활
사건/사고

Ⓐ 영어는 우리말로, 우리말은 영어로 바꾸세요.

1 drown	11 구조하다
2 pretend	12 조사하다
3 article	13 책임이 있는
4 asleep	14 거짓의
5 accident	15 가라앉다
6 suicide	16 상처, 부상
7 severe	17 충돌하다
8 clear	18 곤란, 곤경
9 incident	19 면접, 인터뷰
10 exactly	20 갑자기

Ⓑ 주어진 우리말을 참고하여 어구를 완성하세요.

1 잠들다	fall
2 심각한 피해	damage
3 구직 면접	a job
4 꾀병을 부리다	to be sick
5 곤경에 처하다	be in

44 중3 교과서 대표 영단어 800

누적 TEST 2 주차 06–10

001	debate	013	목적지
002	accident	014	(교통) 요금
003	return	015	엄격한
004	adopt	016	익사하다
005	crash	017	지식
006	obtain	018	국제적인
007	article	019	세대
008	oppose	020	자랑스러운
009	get on	021	의사소통하다
010	suggest	022	지연, 지체
011	arrival	023	급여, 봉급
012	argue	024	거짓의

70 중3 교과서 대표 영단어 800

DAILY TEST

1일 동안 학습한
총 20개 단어에 대한 TEST로,
단어, 어구, 문장 순서로 복습할 수 있어요.

누적 TEST

지난 1주(5일) 동안 학습한
총 100개 단어를 모두 점검하는 TEST로,
얼마나 잘 암기하고 있는지 확인할 수 있어요.

목차

DAY **01** 사람의 특성 외모/인상　　6

DAY **02** 사람의 특성 성격/성향　　12

DAY **03** 신체와 건강 질병/치료　　18

DAY **04** 신체와 건강 감각/움직임　　24

DAY **05** 학교생활 입시/장래　　30

　　누적 TEST　001-100 단어　36

DAY **06** 사회생활 사건/사고　　40

DAY **07** 사회생활 대화/토론　　46

DAY **08** 사회생활 직업/직장　　52

DAY **09** 사회생활 교통/운송　　58

DAY **10** 가정생활 가정　　64

　　누적 TEST　101-200 단어　70

DAY **11** 가정생활 음식/요리　　74

DAY **12** 경제생활 생산/유통　　80

DAY **13** 경제생활 돈/금융　　86

DAY **14** 경제생활 소비/쇼핑　　92

DAY **15** 여가생활 여행/모험　　98

　　누적 TEST　201-300 단어　104

DAY **16** 여가생활 스포츠　　108

DAY **17** 국가 국가/제도　　114

DAY **18** 국가 범죄/규칙　　120

DAY **19** 국가 도시/지역　　126

DAY **20** 국가 국제 사회　　132

　　누적 TEST　301-400 단어　138

DAY 21 자연과 환경 자연   142

DAY 22 자연과 환경 자원/에너지   148

DAY 23 자연과 환경 자연재해   154

DAY 24 자연과 환경 환경 문제   160

DAY 25 수와 양   166

누적 TEST   401-500 단어   172

DAY 26 수와 양   176

DAY 27 시간 표현   182

DAY 28 공간과 방향 표현   188

DAY 29 과학 연구/실험   194

DAY 30 과학 우주/지구   200

누적 TEST   501-600 단어   206

DAY 31 과학 컴퓨터/인터넷   210

DAY 32 문학과 예술 문학   216

DAY 33 문학과 예술 언어   222

DAY 34 문학과 예술 음악/미술   228

DAY 35 문학과 예술 책   234

누적 TEST   601-700 단어   240

DAY 36 문학과 예술 세계/문화   244

DAY 37 전치사 표현   250

DAY 38 다의어 1   256

DAY 39 다의어 2   262

DAY 40 다의어 3   268

누적 TEST   701-800 단어   274

정답과 해설   278

INDEX   308

사람의 특성

외모/인상

---

001 appearance
[əpí(:)ərəns]

명 1. 외모, 겉모습 2. 등장, 출현 **appear** 동 나타나다

a court appearance 법정 출두

Don't judge people by their **appearance**.
외모를 보고 사람을 판단하지 마라.

---

002 curly
[kə́:rli]

형 곱슬곱슬한, 곱슬머리의 **curl** 동 곱슬곱슬하다

curly hair 곱슬머리

My mom gave me a doll with long **curly** hair.
엄마가 나에게 길고 곱슬머리를 한 인형을 주셨다.

---

003 similar
[símələr]

형 비슷한, 닮은

similar interests 비슷한 관심사

You and your youngest brother look **similar**.
너와 너의 막내 남동생은 닮았다.

---

004 wig
[wig]

명 가발

take off a wig 가발을 벗다

The bald man puts on a **wig** when he goes out.
그 대머리 남자는 외출할 때 가발을 쓴다.

---

005 dye
[dai]

동 염색하다

dye one's hair brown 머리를 갈색으로 염색하다

My grandpa **dyes** his hair brown every month.
우리 할아버지께서는 매달 머리를 갈색으로 염색하신다.

---

006 **blonde**
[bland]

[형] 금발의

blonde hair   금발 머리

She has blonde hair and big blue eyes.
그녀는 금발 머리와 커다란 파란 눈을 가졌다.

007 **mustache**
[mʌ́stæʃ]

[명] 콧수염

grow a mustache   콧수염을 기르다

The criminal was wearing a false mustache.
그 범죄자는 가짜 콧수염을 하고 있었다.

008 **familiar**
[fəmíljər]

[형] 익숙한, 낯익은

be familiar with   ~을 잘 알다

I'm sorry but I'm not familiar with this area.
죄송하지만 저는 이 지역 지리를 잘 몰라요.

009 **slender**
[sléndər]

[형] 날씬한, 가느다란

a slender waist   잘록한 허리

The pianist has slender fingers.
그 피아니스트는 가느다란 손가락을 가지고 있다.

010 **describe**
[diskráib]

[동] 묘사하다, 설명하다   description [명] 묘사

describe one's appearance   외모를 묘사하다

Can you describe what happened to you last night?
어젯밤 너에게 무슨 일이 있었는지 설명해 줄 수 있니?

011 **shape**
[ʃeip]

명 1.모양, 형태 2.몸매, 체형

round in shape　둥근 모양의

My father is still in good **shape**.
나의 아버지는 여전히 몸매가 좋으시다.

---

012 **attractive**
[ətrǽktiv]

형 매력적인　**attract** 동 끌다, 매혹하다

an **attractive** personality　매력적인 성격

Bangkok is one of the most **attractive** cities in the world.
방콕은 세계에서 가장 매력적인 도시 중 하나이다.

---

013 **skinny**
[skíni]

형 1.깡마른 2.몸에 꼭 맞는

skinny jeans　몸에 딱 붙는 청바지

She was proud of her **skinny** legs.
그녀는 그녀의 깡마른 다리를 자랑스러워했다.

---

014 **wrinkle**
[ríŋkl]

명 주름　동 주름살 지다

wrinkle one's forehead　이마를 찌푸리다

He has got **wrinkles** around his eyes.
그는 눈가에 주름이 생겼다.

---

015 **impression**
[impréʃən]

명 1.인상 2.감명, 감동　**impress** 동 감명을 주다

first **impression**　첫인상

His words made no **impression** on me.
그의 말은 나에게 아무런 감명을 주지 못했다.

016 **normal**
[nɔ́ːrməl]

형 정상의, 보통의

above normal 　표준 이상으로

The waiter is of normal height.
그 웨이터는 보통 키이다.

017 **overweight**
[òuvərwéit]

형 과체중의, 비만의

get overweight 　살이 많이 찌다

He got overweight during the holidays.
그는 휴가 동안 살이 많이 쪘다.

018 **belly**
[béli]

명 배, 복부

beer belly 　(맥주를 많이 마셔서 생긴) 불룩 나온 배

Mom worries about Dad's beer belly.
엄마는 아빠의 불룩 나온 배를 걱정하신다.

019 **adorable**
[ədɔ́ːrəbl]

형 사랑스러운 　adore 동 동경하다, 흠모하다

an adorable child 　사랑스러운 아이

I can't forget her adorable smile.
나는 그녀의 사랑스러운 미소를 잊을 수가 없다.

020 **recognize**
[rékəgnàiz]

동 알아보다, 인식하다

recognize the girl 　그 소녀를 알아보다

I didn't recognize my old friend at first.
나는 처음에 내 옛 친구를 알아보지 못했다.

A 영어는 우리말로, 우리말은 영어로 바꾸세요.

1	similar	11	익숙한
2	dye	12	깡마른
3	slender	13	매력적인
4	impression	14	외모
5	mustache	15	주름
6	blonde	16	곱슬머리의
7	adorable	17	모양, 몸매
8	recognize	18	가발
9	describe	19	과체중의
10	belly	20	정상의

B 주어진 우리말을 참고하여 어구를 완성하세요.

1 콧수염을 기르다   grow a(n) _____

2 가발을 벗다   take off a(n) _____

3 몸에 딱 붙는 청바지   _____ jeans

4 외모를 묘사하다   _____ one's appearance

5 표준 이상으로   above _____

C 우리말에 맞게 빈칸을 채워 문장을 완성하세요.

1 그는 그런 종류의 음악에는 익숙하지 않다.

He is not .... with that kind of music.

2 그녀는 허리가 가늘다.

She has a(n) .... waist.

3 그의 첫인상은 어땠나요?

What's your first .... of him?

4 그녀의 남자 친구조차 그녀를 알아보지 못했다.

Even her boyfriend could not .... her.

5 아버지와 나는 비슷하게 생겼다.

My father and I look ....

D 빈칸에 알맞은 단어를 골라 쓰세요.

dye	overweight	shape	appearance

1 The cake is in the .... of a star.

2 My grandma will .... her hair black.

3 He is .... He needs to lose some weight.

4 I was surprised by his sudden .... at the party.

사람의 특성
성격/성향

---

021 personality
[pə̀rsənǽləti]

[명] 1.성격, 인격 2.특성, 개성

personality disorder 성격 장애

Your clothes are a reflection of your **personality**.
당신이 입는 옷은 당신의 개성을 반영한다.

---

022 positive
[pázitiv]

[형] 긍정적인

a **positive** attitude to life 삶에 대한 긍정적인 태도

Positive thinking will make your life easier.
긍정적인 사고가 너의 삶을 더 쉽게 만들 것이다.

---

023 annoying
[ənɔ́iiŋ]

[형] 짜증나게 하는, 귀찮은 annoy [동] 짜증나게 하다

an **annoying** fellow 귀찮은 녀석

My brother has an **annoying** habit.
나의 오빠는 짜증나게 하는 버릇이 있다.

---

024 attitude
[ǽtitʃùːd]

[명] 태도

change one's **attitude** ~의 태도를 바꾸다

I try to have a positive **attitude** toward other people.
나는 다른 사람들에게 긍정적인 태도를 취하려고 노력한다.

---

025 arrogant
[ǽrəgənt]

[형] 거만한

an **arrogant** tone 거만한 말투

I don't like Jim because of his **arrogant** attitude.
나는 Jim의 거만한 태도 때문에 그를 좋아하지 않는다.

---

026 **anxious**
[ǽŋkʃəs]

형 1. 걱정하는 2. 열망하는

be anxious about ~에 대해 걱정하다
be anxious for ~을 열망하다

The farmers were anxious for rain.
그 농부들은 비를 열망했다.

---

027 **prefer**
[prifə́:r]

동 더 좋아하다, 선호하다

prefer A to B B보다 A를 더 좋아하다

She prefers fruit to instant food.
그녀는 인스턴트 음식보다는 과일을 더 좋아한다.

---

028 **unusual**
[ʌnjúːʒuəl]

형 특이한

unusual behavior 특이한 행동

Collecting empty bottles is an unusual hobby.
빈 병을 모으는 것은 특이한 취미이다.

---

029 **passionate**
[pǽʃənit]

형 열정적인 **passion** 명 열정

passionate love 열정적인 사랑

She is passionate about learning new things.
그녀는 새로운 것들을 배우는 데 열정적이다.

---

030 **genius**
[dʒíːniəs]

명 1. 재능 2. 천재

a genius for music 음악에 대한 재능

Albert Einstein was a great scientific genius.
알버트 아인슈타인은 위대한 과학 천재였다.

031 courage
[kə́:ridʒ]

명 용기 **courageous** 형 용감한

have **courage** 용기를 내다

The soldier fought with great **courage**.
그 병사는 아주 용감하게 싸웠다.

032 witty
[wíti]

형 재치 있는

a **witty** answer 재치 있는 대답

His **witty** speech made the audience laugh.
그의 재치 있는 연설은 관중들이 웃게 만들었다.

033 greedy
[grí:di]

형 욕심 많은, 탐욕스러운 **greed** 명 욕심

with **greedy** eyes 탐욕스러운 눈으로

The boss is as **greedy** as a pig.
그 우두머리는 돼지처럼 탐욕스럽다.

034 realistic
[rì(:)əlístik]

형 현실적인

realistic characters 현실적인 등장인물들

You have to make **realistic** plans.
너는 현실적인 계획들을 세워야 한다.

035 confident
[kánfidənt]

형 자신감 있는, 확신하는 **confidence** 명 자신감, 신뢰

a **confident** voice 자신감 있는 목소리

She is **confident** of her success.
그녀는 자신의 성공을 확신한다.

036	**talented** [tǽləntid]	휑 재능 있는 **talent** 圀 재능
		a talented artist 재능 있는 예술가
		He is a very talented musician. 그는 매우 재능 있는 음악가이다.

037	**delicate** [déləkit]	휑 1. **연약한, 깨지기 쉬운** 2. **섬세한**
		a delicate glass vase 깨지기 쉬운 유리 꽃병
		Some people have more delicate feelings than others. 어떤 사람들은 다른 사람들보다 더 섬세한 감정이 있다.

038	**punctual** [pʌ́ŋktʃuəl]	휑 시간을 엄수하는
		a punctual person 시간을 잘 지키는 사람
		She is always punctual for appointments. 그녀는 항상 약속 시간을 잘 지킨다.

039	**boastful** [bóustfəl]	휑 자랑하는, 뽐내는 **boast** 圐 자랑하다
		be boastful about ~에 대해 뽐내다
		He was boastful about his new car. 그는 자신의 새 차에 대해 뽐냈다.

040	**hardworking** [hάːrdwə̀ːrkiŋ]	휑 열심히 일하는, 근면한
		hardworking staff 근면한 직원들
		The new employee is not only intelligent but also hardworking. 그 신입 사원은 똑똑할 뿐만 아니라 열심히 일한다.

A 영어는 우리말로, 우리말은 영어로 바꾸세요.

1	unusual	11	태도
2	hardworking	12	용기
3	passionate	13	재능 있는
4	confident	14	거만한
5	anxious	15	더 좋아하다
6	annoying	16	성격, 개성
7	punctual	17	욕심 많은
8	witty	18	자랑하는
9	realistic	19	재능, 천재
10	delicate	20	긍정적인

B 주어진 우리말을 참고하여 어구를 완성하세요.

1 거만한 말투   a(n) _____ tone

2 특이한 행동   _____ behavior

3 시간을 잘 지키는 사람   a(n) _____ person

4 재능 있는 예술가   a(n) _____ artist

5 음악에 대한 재능   a(n) _____ for music

C 우리말에 맞게 빈칸을 채워 문장을 완성하세요.

1 나는 생선보다 고기를 더 좋아한다.

   I _____ meat to fish.

2 그는 인생에 대해 긍정적인 태도를 갖고 있다.

   He has a(n) _____ attitude toward life.

3 우리 모두는 시험 결과에 대해 걱정했다.

   All of us were _____ about the test results.

4 그녀는 자신의 나약한 성격 때문에 걱정한다.

   She worries because of her weak _____.

5 우리의 근면한 직원들이 친절히 도와드릴 것입니다.

   Our _____ staff will gladly help you.

D 빈칸에 알맞은 단어를 골라 쓰세요.

courage	annoying	boastful	passionate

1 He is _____ of his wealth.

2 I didn't have the _____ to tell her the truth.

3 She is very _____ about rock music.

4 The mosquitoes were so _____ that I couldn't sleep.

신체와 건강

질병/치료

---

041 **disease**
[dizíːz]

명 질병, 병

heart disease 심장병

Disease should be treated at once.
질병은 즉각적으로 치료되어야 한다.

---

042 **treatment**
[tríːtmənt]

명 1. 치료 2. 대우 　treat 동 치료하다, 대하다

the treatment of cancer 암의 치료

We need a first-aid treatment right now.
우리는 지금 당장 응급 치료가 필요하다.

---

043 **patient**
[péiʃənt]

명 환자 　형 참을성 있는 　patience 명 인내심

cancer patients 암 환자들

Mr. Lee is very patient with his students.
이 선생님은 자신의 학생들을 매우 인내심 있게 대한다.

---

044 **disabled**
[diséibld]

형 장애가 있는

the disabled 장애인들

There are a lot of services for the disabled in this city.
이 도시에는 장애인들을 위한 많은 서비스가 있다.

---

045 **medicine**
[médəsn]

명 1. 약 2. 의학

take medicine 약을 먹다

He wants to study medicine at the university.
그는 대학교에서 의학을 공부하고 싶어 한다.

---

046 **cure**
[kjuər]

图 치료하다　图 치료(법)

cure a patient　환자를 치료하다

There is still no cure for the disease.
그 병에 대한 치료법은 아직 없다.

047 **mental**
[méntəl]

图 정신의, 마음의

mental health　정신 건강

I think she should go to a mental hospital.
나는 그녀가 정신 병원에 가야 한다고 생각한다.

048 **recover**
[rikʌ́vər]

图 회복하다　recovery 图 회복

recover from an illness　병이 회복되다

It'll take time for her to recover from the illness.
그녀가 병이 나으려면 시간이 걸릴 것 같다.

049 **therapy**
[θérəpi]

图 치료, 요법

get art therapy　미술 치료법을 받다

The psychologist offered me music therapy.
심리학자는 내게 음악 치료법을 제안했다.

050 **nutrition**
[njuːtríʃən]

图 영양　nutritious 图 영양가 있는

low in nutrition　영양가가 낮은

You should get good nutrition for your health.
당신은 건강을 위해 충분한 영양을 섭취해야 한다.

051	**cancer** [kǽnsər]	명 암

lung cancer   폐암

Advanced breast **cancer** often cannot be cured.
많이 진행된 유방암은 치료될 수 없는 경우가 종종 있다.

052	**addict** [ədíktid]	동 중독시키다 명 [ǽdikt] 중독자

be addicted to   ~에 중독되다

He was a drug **addict** when he was young.
그는 젊었을 때 약물 중독자였다.

053	**weaken** [wíːkən]	동 약화시키다 weak 형 약한

weaken one's body   ~의 몸을 약하게 하다

My grandpa was **weakened** by his long illness.
우리 할아버지께서는 오랜 병환으로 약해지셨다.

054	**immune** [imjúːn]	형 면역성이 있는, 면역의

immune to the disease   그 병에 면역성이 있는

Stress can weaken your **immune** system.
스트레스는 면역 체계를 약화시킬 수 있다.

055	**painful** [péinfəl]	형 고통스러운, 아픈 pain 명 고통

painful wounds   고통스러운 상처

His legs were too **painful** to walk on.
그는 다리 통증이 너무 심해서 걸을 수 없었다.

056 **surgery**
[sə́ːrdʒəri]

명 **수술**   **surgeon** 명 외과 의사

have surgery on   ~ 부위에 수술을 받다

My father had surgery on his heart 3 years ago.
나의 아버지께서는 3년 전에 심장 수술을 받으셨다.

057 **germ**
[dʒəːrm]

명 **세균, 병균**

a germ carrier   보균자

Good germs are used to make some drugs.
이로운 세균들은 몇몇 약을 만드는 데 사용된다.

058 **insurance**
[inʃú(ː)ərəns]

명 **보험**   **insure** 동 보증하다, 보험에 들다

life insurance   생명 보험

Every country has its own health insurance system for the people.
모든 국가는 국민들을 위한 고유의 건강 보험 체계를 가지고 있다.

059 **bandage**
[bǽndidʒ]

명 **붕대**   동 **붕대를 감다**

bandage a wound   상처에 붕대를 감다

He has a bandage over his right eye.
그는 오른쪽 눈에 붕대를 하고 있다.

060 **tissue**
[tíʃuː]

명 **1. 조직 2. 화장지**

muscular tissue   근육 조직

Fat people have less brain tissue than other people.
뚱뚱한 사람들은 다른 사람들보다 뇌 조직이 더 적다.

신체와 건강
질병/치료

A 영어는 우리말로, 우리말은 영어로 바꾸세요.

1	painful	11	회복하다
2	therapy	12	보험
3	cure	13	수술
4	bandage	14	정신의
5	tissue	15	영양
6	weaken	16	중독시키다
7	disabled	17	질병
8	medicine	18	암
9	immune	19	세균
10	treatment	20	환자, 참을성 있는

B 주어진 우리말을 참고하여 어구를 완성하세요.

1 근육 조직   muscular _____

2 고통스러운 상처   _____ wounds

3 장애인들   the _____

4 환자를 치료하다   _____ a patient

5 그 병에 면역성이 있는   _____ to the disease

C 우리말에 맞게 빈칸을 채워 문장을 완성하세요.

1 이 건물은 암 환자들만을 위한 것이다.

This building is only for cancer _____.

2 의사가 내 다리에 붕대를 감았다.

The doctor put a(n) _____ on my leg.

3 이 약은 내 두통을 덜어주지 못했다.

This _____ didn't ease my headache.

4 규칙적인 운동과 적절한 영양이 중요하다.

Regular exercise and proper _____ are important.

5 우리 할아버지께서는 작년에 뇌 수술을 받으셨다.

My grandfather had _____ on his brain last year.

D 빈칸에 알맞은 단어를 골라 쓰세요.

| cancer | recover | mental | therapy |

1 The girl gets art _____ after school.

2 I hope my brother will _____ from his illness.

3 This play is for children's _____ development.

4 His smoking habit was the cause of his lung _____.

신체와 건강

감각/움직임

---

061 sense
[sens]

ㅁ 감각

sense of taste 미각

Human beings have five **senses**.
인간은 오감을 가지고 있다.

---

062 sensitive
[sénsətiv]

형 민감한, 예민한 **sense** 명 감각

be **sensitive** to cold 추위에 민감하다

This lotion is good for **sensitive** skin.
이 로션은 민감한 피부에 좋다.

---

063 rough
[rʌf]

형 거친

rough skin 거친 피부

The **rough** road made the cart shake.
거친 길이 수레를 흔들리게 했다.

---

064 notice
[nóutis]

명 주의, 주목 동 알아차리다

take **notice** of ~을 주목하다

The teacher **noticed** some students cheating.
선생님은 몇몇 학생들이 부정 행위를 하는 것을 알아차렸다.

---

065 salty
[sɔ́:lti]

형 짠맛의 **salt** 명 소금

a slightly **salty** taste 약간 짠 맛

I brought some **salty** crackers today.
나는 오늘 짠맛이 나는 크래커를 가져왔다.

---

066 **movement**
[mú:vmənt]

몡 움직임, 이동 **move** 동 움직이다, 이동하다

the movement of the eyes 눈의 움직임

He watched the body movements of the dancer.
그는 무용수의 신체 움직임을 지켜보았다.

---

067 **whisper**
[hwíspər]

동 속삭이다 몡 속삭임

whisper in one's ear ~의 귀에 속삭이다

She talked to me in a whisper.
그녀는 속삭이며 내게 말을 걸었다.

---

068 **rush**
[rʌʃ]

동 돌진하다, 급히 서두르다 몡 돌진

rush to the office 급히 서둘러 사무실로 가다

The audience made a rush for the exit.
관객들이 출구 쪽으로 돌진했다.

---

069 **roll**
[roul]

동 구르다, 굴리다

roll down the road 길 아래로 구르다

A big rock rolled down the hill.
커다란 바위가 언덕 아래로 굴러 내려왔다.

---

070 **yell**
[jel]

동 소리치다, 고함을 지르다

yell for help 도와달라고 소리치다

She yelled at him with excitement.
그녀는 흥분해서 그에게 소리쳤다.

071 **rub**
[rʌb]

동 문지르다, 비비다

rub one's eyes 눈을 비비다

Grandma **rubbed** my belly gently.
할머니가 부드럽게 내 배를 문질러 주셨다.

072 **glance**
[glæns]

동 흘끗 보다 명 흘끗 봄

take a **glance** at ~을 흘끗 보다

They **glanced** at her diamond ring enviously.
그들은 그녀의 다이아몬드 반지를 부러운 듯이 흘끗 쳐다보았다.

073 **applaud**
[əplɔ́ːd]

동 박수를 보내다

applaud the players 선수들에게 박수를 보내다

They **applauded** the speaker as the speech finished.
연설이 끝나자 그들은 연설자에게 박수를 보냈다.

074 **lick**
[lik]

동 핥다

lick one's fingers 손가락을 핥다

When he smelled something, he **licked** his lips.
그는 무언가 냄새를 맡더니 입맛을 다셨다.

075 **wander**
[wɑ́ndər]

동 돌아다니다, 배회하다

wander along the street 길에서 어슬렁거리다

I will **wander** around the city this afternoon.
나는 오늘 오후에 도시 여기저기를 돌아다닐 것이다.

076 **pause**
[pɔːz]

동 잠시 멈추다 명 일시 정지

a **pause** button   일시 정지 버튼

The fan **paused** for a moment and then started working again.
그 선풍기는 잠시 멈추었다가 다시 작동하기 시작했다.

077 **bump**
[bʌmp]

동 부딪치다, 충돌하다

bump into a tree   나무에 부딪치다

She **bumped** into a stranger on her way home.
그녀는 집에 오는 길에 낯선 사람과 부딪쳤다.

078 **approach**
[əpróutʃ]

동 접근하다 명 접근(법)

approach the moon   달에 접근하다

You need a new **approach** to this problem.
당신은 이 문제에 대한 새로운 접근이 필요하다.

079 **slip**
[slip]

동 미끄러지다

slip on the stairs   계단에서 미끄러지다

He **slipped** on the ice and couldn't stand up.
그는 얼음 위에서 미끄러져서 일어날 수 없었다.

080 **stare**
[stɛər]

동 빤히 보다, 응시하다

stare at a dog   개를 빤히 쳐다보다

Everyone in the subway was **staring** at the boy.
지하철에 있는 모든 사람들이 그 소년을 빤히 쳐다보고 있었다.

A 영어는 우리말로, 우리말은 영어로 바꾸세요.

1 stare ....

2 approach ....

3 lick ....

4 whisper ....

5 sensitive ....

6 salty ....

7 glance ....

8 roll ....

9 rough ....

10 applaud ....

11 문지르다 ....

12 소리치다 ....

13 미끄러지다 ....

14 부딪치다 ....

15 주의, 주목 ....

16 돌진하다 ....

17 감각 ....

18 돌아다니다 ....

19 잠시 멈추다 ....

20 움직임, 이동 ....

B 주어진 우리말을 참고하여 어구를 완성하세요.

1 ~을 주목하다   take .... of

2 거친 피부   .... skin

3 손가락을 핥다   .... one's fingers

4 일시 정지 버튼   a(n) .... button

5 나무에 부딪치다   .... into a tree

C 우리말에 맞게 빈칸을 채워 문장을 완성하세요.

1 나는 따뜻하게 하기 위해서 손을 비볐다.

I _____ my hands to warm them.

2 그녀는 내 귀에 대고 비밀을 속삭였다.

She _____ a secret in my ear.

3 연필 하나가 책상 밑으로 굴러 떨어졌다.

A pencil _____ down the desk.

4 공공장소에서 소리지르면 안 된다.

You should not _____ in public places.

5 그들은 감동적인 연설을 한 연설자에게 박수를 보냈다.

They _____ the speaker for her impressive speech.

D 빈칸에 알맞은 단어를 골라 쓰세요. (필요하면 형태를 바꾸세요.)

sense	approach	sensitive	wander

1 She is very _____ to cold.

2 He has a good _____ of humor.

3 The time is _____ when we must leave.

4 We love to _____ around the city at night.

학교생활
입시/장래

---

081 pass
[pæs]

[동] 1. **지나가다** 2. **건네주다** 3. **통과하다, 합격하다**

pass along a street 길을 지나가다

He was able to **pass** the exam at last.
그는 마침내 그 시험에 합격할 수 있었다.

---

082 graduate
[grǽdʒuèit]

[동] **졸업하다** [명] [grǽdʒuət] **졸업생**

a **graduate** student 대학원생

I will **graduate** from medical school next year.
나는 내년에 의과 대학을 졸업할 것이다.

---

083 degree
[digríː]

[명] 1. **학위** 2. **(온도 · 각도의) 도** 3. **정도**

a doctor's **degree** 박사 학위

It was ten **degrees** below zero last night.
어젯밤은 영하 10도였다.

---

084 major
[méidʒər]

[형] **주요한** [명] **전공** [동] **전공하다**

a **major** problem 주요한 문제

My **major** is architecture.
내 전공은 건축학이다.

---

085 submit
[səbmít]

[동] 1. **제출하다** 2. **항복하다, 굴복하다**

submit an application 지원서를 제출하다

Don't **submit** to that unfair treatment.
그러한 부당한 대우에 굴복하지 말아라.

---

086 academic
[æ̀kədémik]

〔형〕 **학업의, 학문의, 학구적인**

the new academic year 새 학년

He has a high level of academic achievement.
그는 학업 성취도가 높다.

087 entrance
[éntrəns]

〔명〕 1. **입구** 2. **입장, 입학** enter 〔동〕 **들어가다**

the entrance to a tunnel 터널 입구

High school students study very hard for a university entrance exam.
고등학생들은 대학 입학 시험을 위해서 매우 열심히 공부한다.

088 education
[èdʒukéiʃən]

〔명〕 **교육** educate 〔동〕 **교육하다**

physical education 체육

Can people learn without a formal education?
사람들은 정규 교육 없이 배울 수 있을까?

089 intelligent
[intélidʒənt]

〔형〕 **총명한, 똑똑한** intelligence 〔명〕 **지능**

intelligent students 똑똑한 학생들

Chimpanzees are one of the most intelligent animals in the world.
침팬지는 세상에서 가장 똑똑한 동물들 중 하나이다.

090 semester
[siméstər]

〔명〕 **학기**

the spring semester 봄 학기

The new semester starts in March.
새 학기는 3월에 시작된다.

091 **scholarship**
[skálərʃìp]

명 장학금

receive a **scholarship** 장학금을 받다

He went to college on a full **scholarship**.
그는 전액 장학금을 받고 대학에 들어갔다.

092 **department**
[dipáːrtmənt]

명 1. 부서, 학과 2. (백화점 등의) 매장

a **department** store 백화점

She is a professor in the **department** of law.
그녀는 법학과 교수이다.

093 **passion**
[pǽʃən]

명 열정   **passionate** 형 열정적인

have a **passion** for ~에 대한 열정을 지니다

I've had a **passion** for painting for years.
나는 여러 해 동안 그림에 대한 열정을 지녀왔다.

094 **select**
[silékt]

동 고르다, 선택하다   **selection** 명 선택, 선발

select a scholarship student 장학생을 선발하다

She was **selected** as the leader in our team.
그녀는 우리 팀의 주장으로 선발되었다.

095 **course**
[kɔːrs]

명 1. 강의, 강좌 2. 과정, 방향

take a **course** 강의를 듣다

After consulting with my parents, I decided on a
course for the future.
부모님과 상의한 후, 나는 내 진로를 결정했다.

096 **instruct**
[instrʌ́kt]

[동] 1. 가르치다 2. 지시하다　**instruction** [명] 가르침, 지시

instruct students in math　학생들에게 수학을 가르치다

We were **instructed** to stay in the classroom.
우리는 교실 안에 있으라는 지시를 받았다.

097 **compete**
[kəmpíːt]

[동] 경쟁하다　**competition** [명] 경쟁, 시합

compete in a contest　대회에서 경쟁하다

They are **competing** for the championship.
그들은 우승을 놓고 경합을 벌이고 있다.

098 **specific**
[spisífik]

[형] 구체적인, 명확한

a **specific** plan　구체적인 계획

He is wasting his time with no **specific** goal.
그는 구체적인 목표 없이 시간을 낭비하고 있다.

099 **practical**
[prǽktikəl]

[형] 실용적인, 실제적인

practical English　실용 영어

He designed the building for **practical** use.
그는 그 건물을 실용적인 용도로 디자인했다.

100 **stay up**

안 자고 깨어 있다

He **stayed up** all night doing his homework.
그는 숙제를 하느라 밤을 꼬박 새웠다.

A 영어는 우리말로, 우리말은 영어로 바꾸세요.

1	select		11	제출하다
2	intelligent		12	경쟁하다
3	academic		13	부서, 학과
4	graduate		14	장학금
5	specific		15	강의, 과정
6	instruct		16	열정
7	pass		17	학위, 도
8	stay up		18	학기
9	practical		19	교육
10	major		20	입구, 입학

B 주어진 우리말을 참고하여 어구를 완성하세요.

1 구체적인 계획   a(n) _____ plan

2 터널 입구   the _____ to a tunnel

3 체육   physical _____

4 대회에서 경쟁하다   _____ in a contest

5 장학생을 선발하다   _____ a scholarship student

C 우리말에 맞게 빈칸을 채워 문장을 완성하세요.

1 그녀는 아들에게 자전거 타는 법을 가르쳤다.

She _____ her son on how to ride a bike.

2 그는 그 책을 읽고 친구에게 건네주었다.

He read the book and _____ it to his friend.

3 그녀는 대학에서 역사학 학위를 받았다.

She got a(n) _____ in history from her university.

4 나는 방학 동안 영어 강좌를 들을 것이다.

I will take a(n) _____ in English during my vacation.

5 그는 작년에 대학교를 졸업했다.

He _____ from a university last year.

D 빈칸에 알맞은 단어를 골라 쓰세요. (필요하면 형태를 바꾸세요.)

passion	submit	intelligent	practical

1 He really has a(n) _____ for his job.

2 This site is filled with _____ information.

3 All the students _____ their reports yesterday.

4 Dolphins are one of the most _____ animals.

001	**familiar**	013	졸업하다
	익숙한		graduate
002	**disease**	014	용기
003	**normal**	015	암
004	**stare**	016	환자
005	**personality**	017	염색하다
006	**recover**	018	접근하다
007	**slip**	019	외모
008	**intelligent**	020	긍정적인
009	**addict**	021	핥다
010	**course**	022	자랑하는
011	**recognize**	023	영양
012	**select**	024	묘사하다

025	**unusual**	037	속삭이다
026	**yell**	038	보험
027	**passion**	039	거만한
028	**rough**	040	감각
029	**similar**	041	학문의, 학업의
030	**realistic**	042	약, 의학
031	**degree**	043	박수를 보내다
032	**talented**	044	더 좋아하다
033	**bump**	045	욕심 많은
034	**slender**	046	주름
035	**salty**	047	돌아다니다
036	**belly**	048	재능, 천재

049	**shape**	062	가발
050	**delicate**	063	태도
051	**painful**	064	금발의
052	**treatment**	065	자신감 있는
053	**adorable**	066	정신의
054	**therapy**	067	구르다
055	**weaken**	068	문지르다, 비비다
056	**impression**	069	콧수염
057	**anxious**	070	제출하다
058	**cure**	071	장애가 있는
059	**passionate**	072	입구, 입학
060	**tissue**	073	경쟁하다
061	**rush**	074	수술

075	**annoying**	088	면역성이 있는
076	**practical**	089	잠시 멈추다
077	**bandage**	090	장학금
078	**sensitive**	091	곱슬머리의
079	**major**	092	학기
080	**skinny**	093	열심히 일하는
081	**glance**	094	세균
082	**specific**	095	부서, 학과
083	**movement**	096	매력적인
084	**witty**	097	시간을 엄수하는
085	**notice**	098	교육
086	**stay up**	099	과체중의
087	**instruct**	100	지나가다, 통과하다

사회생활
사건/사고

---

101 accident
[æksidənt]

명 1. **사고** 2. **우연, 우연한 일** accidental 형 우연한

by accident 우연히

He was killed in a car **accident**.
그는 자동차 사고로 죽었다.

---

102 incident
[ínsidənt]

명 **사건**

an unfortunate incident 불행한 사건

The movie is based on an actual **incident**.
그 영화는 실제 사건을 바탕으로 하고 있다.

---

103 wound
[wu:nd]

명 **상처, 부상** 동 **상처를 입히다**

a heavy wound 중상

She was **wounded** in the leg from the accident.
그녀는 그 사고로 다리에 부상을 입었다.

---

104 severe
[sivíər]

형 **극심한, 심각한**

severe damage 심각한 피해

The player received a **severe** injury to his legs.
그 선수는 다리에 심한 상처를 입었다.

---

105 rescue
[réskju:]

동 **구조하다** 명 **구조**

rescue a child from a fire 불 속에서 아이를 구하다

Finally, he was saved by a **rescue** team.
마침내, 그는 구조대에 의해 구조되었다.

---

106 trouble
[trʌ́bl]

몡 곤란, 곤경   동 괴롭히다

be in trouble   곤경에 처하다

What is troubling you?
당신을 괴롭히는 것이 무엇인가요?

107 interview
[íntərvjùː]

몡 1. 면접 2. 인터뷰   동 1. 면접을 보다 2. 인터뷰하다

a job interview   구직 면접

The reporter interviewed the president.
그 기자는 대통령을 인터뷰했다.

108 article
[áːrtikl]

몡 (신문 · 잡지 등의) 기사

a magazine article   잡지 기사

She writes articles about crime.
그녀는 범죄에 대한 기사들을 쓴다.

109 sink
[siŋk]

동 가라앉다   몡 싱크대

sink to the bottom   바닥으로 가라앉다

The ship is sinking in the middle of the ocean.
그 배는 대양 한 가운데서 가라앉고 있다.

sink-sank-sunk

110 drown
[draun]

동 익사하다, 물에 빠져 죽다

drown in the river   강에서 익사하다

A drowning man will grab at a straw.
[속담] 물에 빠진 사람은 지푸라기라도 잡는다.

111 suicide
[sjúːisàid]

명 자살

commit suicide 자살하다

She attempted **suicide** after losing her parents.
그녀는 부모님을 잃은 후에 자살을 시도했다.

112 crash
[kræʃ]

동 충돌하다, 추락하다 명 충돌(추락) 사고

crash into a tree 나무에 충돌하다

They lost their son in the plane **crash**.
그들은 그 비행기 추락 사고로 아들을 잃었다.

113 clear
[kliər]

형 1. 명확한, 분명한 2. 맑은 동 치우다

a **clear** evidence 명확한 증거

The sky of autumn is **clear** and blue.
가을 하늘은 맑고 푸르다.

114 asleep
[əslíːp]

형 잠이 든

fall **asleep** 잠들다

I want to fall **asleep** fast at night.
나는 밤에 빨리 잠들고 싶다.

115 exactly
[igzǽktli]

부 정확하게 exact 형 정확한

describe **exactly** 정확하게 묘사하다

This accident happened **exactly** one month ago.
이 사건은 정확히 한 달 전에 일어났다.

116 **false**
[fɔːls]

형 1. **거짓의** 2. **가짜의, 인조의**

prove to be false   거짓으로 판명 나다

He gave false information to the police.
그는 경찰에 거짓 정보를 주었다.

117 **examine**
[igzǽmin]

동 1. **조사하다** 2. **진찰하다** 3. **시험하다**

examine the car accident   교통사고를 조사하다

I had my right eye examined yesterday.
나는 어제 오른쪽 눈을 진찰받았다.

118 **responsible**
[rispánsəbl]

형 **책임이 있는**   **responsibility** 명 **책임**

be responsible for   ~에 대해 책임이 있다

He is responsible for training new employees.
그는 신입 사원 교육을 책임지고 있다.

119 **pretend**
[priténd]

동 **~인 체하다, 가장하다**

pretend to be sick   꾀병을 부리다

I pretended to sleep when my mom
called me.
나는 엄마가 부를 때 자는 척했다.

120 **suddenly**
[sʌ́dnli]

부 **갑자기**   **sudden** 형 **갑작스러운**

suddenly happen   갑자기 일어나다

My car stopped suddenly on the way to work.
내 차가 출근길에 갑자기 멈췄다.

A 영어는 우리말로, 우리말은 영어로 바꾸세요.

1	drown		11	구조하다
2	pretend		12	조사하다
3	article		13	책임이 있는
4	asleep		14	거짓의
5	accident		15	가라앉다
6	suicide		16	상처, 부상
7	severe		17	충돌하다
8	clear		18	곤란, 곤경
9	incident		19	면접, 인터뷰
10	exactly		20	갑자기

B 주어진 우리말을 참고하여 어구를 완성하세요.

1 잠들다   fall

2 심각한 피해   damage

3 구직 면접   a job

4 꾀병을 부리다   to be sick

5 곤경에 처하다   be in

C 우리말에 맞게 빈칸을 채워 문장을 완성하세요.

1 그 소방관은 그 아이를 구했다.

The firefighter .... the child.

2 그는 자동차 사고로 부상당했다.

He was injured in a car ....

3 두 젊은이들이 강에서 익사했다.

The two young men .... in the river.

4 경찰은 그녀의 죽음이 자살이었다고 생각한다.

The police think her death was a(n) ....

5 경찰은 그 교통사고를 조사했다.

The police .... the car accident.

D 빈칸에 알맞은 단어를 골라 쓰세요.

| false | sink | wound | responsible |

1 The boat soon began to ....

2 You should be .... for your actions.

3 The doctor wrapped my .... in bandages.

4 Answer whether these questions are true or ....

사회생활

대화/토론

---

121 disagree
[dìsəgríː]

동 동의하지 않다, 반대하다

disagree with ~의 말에 동의하지 않다

Mostly he **disagrees** with his parents.
그는 대부분 부모님의 의견에 동의하지 않는다.

---

122 debate
[dibéit]

동 토론하다　명 토론

debate about a question　어떤 문제에 대해 토론하다

The **debate** was about the education of children.
그 토론은 자녀 교육에 관한 것이었다.

---

123 opinion
[əpínjən]

명 의견, 견해

public opinion　여론

In my **opinion**, we have to follow this rule.
내 의견으로는, 우리는 이 규칙을 따라야만 한다.

---

124 argue
[áːrɡjuː]

동 1. 논쟁하다 2. 주장하다　**argument** 명 논쟁, 주장

argue with each other　서로 논쟁하다

He **argued** that he didn't lie.
그는 거짓말을 하지 않았다고 주장했다.

---

125 suggest
[səɡdʒést]

동 제안하다　**suggestion** 명 제안

suggest a solution　해결책을 제안하다

He **suggested** a new plan to his boss.
그는 상사에게 새로운 계획을 제안했다.

---

126 **theory**
[θí(ː)əri]

명 이론, 학설

in theory 이론상으로는

His theory was based on years of observations.
그의 이론은 수년 간의 관찰에 근거했다.

---

127 **support**
[səpɔ́ːrt]

동 1. 지지하다, 지원하다 2. 부양하다 **명** 지지, 지원

support one's decision ~의 결정을 지지하다

He always works hard to support his family.
그는 항상 가족을 부양하기 위해 열심히 일한다.

---

128 **apology**
[əpálədʒi]

명 사과 apologize **동** 사과하다

make an apology 사과하다

I made an apology for not going to her birthday party.
나는 그녀의 생일 파티에 가지 못한 것에 대해 사과했다.

---

129 **accept**
[əksépt]

동 받아들이다, 수락하다

accept one's apology ~의 사과를 받아들이다

At first she would not accept his proposal.
처음에 그녀는 그의 청혼을 받아들이려 하지 않았다.

---

130 **oppose**
[əpóuz]

동 반대하다 opposition **명** 반대

oppose one's opinion ~의 의견에 반대하다

Many people oppose the death penalty.
많은 사람들이 사형 제도에 반대한다.

| 131 | **refer**
[rifə́ːr] | 동 1. 언급하다 2. 참조하다 **reference** 명 언급, 참조
refer to the matter 그 문제에 관해 언급하다
Refer to a dictionary to find the correct spelling.
정확한 철자를 찾기 위해서 사전을 참조해라. |

| 132 | **absurd**
[əbsə́ːrd] | 형 터무니없는, 우스꽝스러운
an **absurd** rumor 터무니없는 소문
What an **absurd** idea!
정말 터무니없는 생각이구나! |

| 133 | **insist**
[insíst] | 동 주장하다, 고집하다
insist on a refund 환불을 주장하다
She **insisted** on the importance of nature.
그녀는 자연의 중요성을 주장했다. |

| 134 | **topic**
[tápik] | 명 화제, 주제
a hot **topic** 관심이 많은 주제
What is the main **topic** of this conversation?
이 대화의 주요 화제는 무엇인가? |

| 135 | **communicate**
[kəmjúːnəkèit] | 동 의사소통하다, 연락하다 **communication** 명 의사소통
communicate with children 아이들과 의사소통하다
They **communicate** with each other mostly through SNS.
그들은 주로 SNS를 통해 서로 연락한다. |

136 view
[vju:]

명 1.견해, 관점 2.경치, 광경

a different point of view 다른 견해

The view from this hotel is very beautiful.
이 호텔의 전망은 아주 아름답다.

137 knowledge
[nálidʒ]

명 지식 know 동 알다

background knowledge 배경지식

A little knowledge is a dangerous thing.
[속담] 선무당이 사람 잡는다.

138 comment
[káment]

명 논평, 의견 동 논평하다, 의견을 말하다

a positive comment 긍정적인 의견

I don't want to comment on the movie.
나는 그 영화에 대해 어떤 평도 하고 싶지 않다.

139 attention
[ətènʃən]

명 주의, 집중 attend 동 참석하다, 주의를 기울이다

pay attention to ~에 주의를 기울이다

No one paid attention to her speech.
아무도 그녀의 연설에 주의를 기울이지 않았다.

140 issue
[íʃu:]

명 쟁점, 문제

raise an issue 쟁점을 제기하다

Now we should debate sensitive issues.
이제 우리는 민감한 쟁점들을 토론해야 한다.

A 영어는 우리말로, 우리말은 영어로 바꾸세요.

1	accept		11	사과
2	comment		12	이론
3	issue		13	반대하다
4	argue		14	주의, 집중
5	insist		15	지식
6	opinion		16	화제, 주제
7	support		17	토론하다
8	disagree		18	제안하다
9	absurd		19	견해, 경치
10	refer		20	의사소통하다

B 주어진 우리말을 참고하여 어구를 완성하세요.

1 배경지식   background _____

2 사과하다   make a(n) _____

3 ~에 주의를 기울이다   pay _____ to

4 ~의 의견에 반대하다   _____ one's opinion

5 그 문제에 관해 언급하다   _____ to the matter

C 우리말에 맞게 빈칸을 채워 문장을 완성하세요.

1 그의 계획은 이론상으로는 훌륭하다.

His plan is excellent in ....

2 그 남자는 다른 견해를 가지고 있다.

The man has a different point of ....

3 나는 나의 장래 직업에 관해 아버지와 논쟁했다.

I .... with my father about my future career.

4 그녀는 대화의 화제를 바꾸려고 애썼다.

She tried to change the .... of conversation.

5 부모님께서는 미술학교를 가겠다는 나의 결정을 지지해 주신다.

My parents .... my decision to go to art school.

D 빈칸에 알맞은 단어를 골라 쓰세요.

| opinion | debate | suggest | communicate |

1 In my .... , it is a waste of time.

2 I .... that you should visit this place.

3 The professor had a lively .... with the students.

4 We use sign language to .... with the deaf.

사회생활
직업/직장

---

141 labor
[léibər]

몡 노동

a labor union 노동 조합

Child labor is a big problem all over the world.
아동 노동은 전 세계적으로 큰 문제이다.

---

142 professional
[prəféʃənəl]

혱 전문적인, 직업의   몡 전문가   profession 몡 직업

a professional writer   직업 작가

A professional photographer is preparing for a trip.
어느 직업 사진작가가 여행을 준비하고 있다.

---

143 salary
[sǽləri]

몡 급여, 봉급

monthly salary   월급

The annual salary for your position is 30 million won.
당신의 직책에 대한 연봉은 3천만 원입니다.

---

144 occupation
[àkjupéiʃən]

몡 직업

out of occupation   실업 중인, 직업이 없는

Here is a list of people by an occupation title.
여기 직종에 따른 사람들의 명단이 있다.

---

145 license
[láisəns]

몡 면허, 면허증

a medical license   의사 면허증

Mr. Smith lost his driver's license.
Smith 씨는 자신의 운전 면허증을 잃어버렸다.

146 **international**
[ìntərnǽʃənəl]

형 국제적인

international trade   국제 무역

Why do you want to work for an international company?
당신은 왜 국제적인 회사에서 일하고 싶은가?

147 **retire**
[ritáiər]

동 은퇴하다   **retirement** 명 은퇴

retire at the age of sixty   60세로 은퇴하다

My grandmother retired from teaching.
나의 할머니께서는 교직에서 은퇴하셨다.

148 **obtain**
[əbtéin]

동 얻다, 획득하다

obtain permission   허락을 얻다

Where did you obtain the information?
너는 그 정보를 어디서 얻었니?

149 **reward**
[riwɔ́:rd]

명 보상, 보상금   동 보상하다

in a reward for   ~에 대한 보상으로

My mother rewarded me for my hard work.
엄마는 내게 열심히 공부한다고 상을 주셨다.

150 **influence**
[ínfluəns]

명 영향, 영향력   동 영향을 주다

have an influence on   ~에 영향을 미치다

Her old teacher influenced her deeply.
그녀의 옛날 선생님이 그녀에게 큰 영향을 미쳤다.

151 succeed
[səksí:d]

동 성공하다   success 명 성공

succeed in life   출세하다

Please let me know how to succeed in business.
사업에서 성공하는 방법 좀 저에게 알려 주세요.

152 encounter
[inkáuntər]

동 맞닥뜨리다, 마주치다

encounter problems   문제에 봉착하다

You may encounter difficulties while looking for a job.
직장을 구하는 동안 당신은 어려움에 부딪힐 수도 있다.

153 opportunity
[àpərtjú:nəti]

명 기회

equal opportunity   동등한 기회

The CEO never misses any opportunities in business.
그 최고 경영자는 사업상 어떠한 기회도 절대 놓치지 않는다.

154 clerk
[klə:rk]

명 직원, 점원

an office clerk   사무원

We are looking for a sales clerk now.
우리는 지금 판매원을 구하고 있다.

155 status
[stéitəs]

명 지위, 신분

high status jobs   지위가 높은 일자리들

Women in some countries have a very low social status.
몇몇 나라의 여성들은 사회적 지위가 아주 낮다.

---

156 manage
[mǽnidʒ]

동 1. 경영하다, 관리하다 2. 그럭저럭 해내다

manage a factory   공장을 운영하다

He managed to answer all the questions.
그는 모든 질문에 답을 그럭저럭 해냈다.

---

157 counselor
[káunsələr]

명 상담원, 카운슬러

a marriage counselor   결혼 상담원

She has worked as a school counselor for 10 years.
그녀는 10년 동안 학교 상담원으로 근무해 오고 있다.

---

158 worthwhile
[wə̀:rθhwáil]

형 가치 있는

worthwhile to read   읽을 가치가 있는

Worthwhile activities will make your life happy.
가치 있는 활동들이 당신의 삶을 행복하게 만들 것이다.

---

159 accomplish
[əkámpliʃ]

동 이루다, 성취하다   accomplishment 명 업적, 성취

accomplish one's goal   목표를 성취하다

She studied hard to accomplish her purpose.
그녀는 자신의 목적을 달성하기 위해서 열심히 공부했다.

---

160 get over

극복하다

He got over his handicap and got a new job.
그는 자신의 장애를 극복하고 새 직장을 구했다.

A 영어는 우리말로, 우리말은 영어로 바꾸세요.

1	succeed		11	기회	
2	counselor		12	가치 있는	
3	license		13	보상	
4	status		14	경영하다	
5	clerk		15	노동	
6	occupation		16	은퇴하다	
7	get over		17	급여, 봉급	
8	encounter		18	얻다	
9	accomplish		19	영향, 영향력	
10	professional		20	국제적인	

B 주어진 우리말을 참고하여 어구를 완성하세요.

1 직업 작가   a(n) _____ writer

2 의사 면허증   a medical _____

3 국제 무역   _____ trade

4 목표를 성취하다   _____ one's goal

5 문제에 봉착하다   _____ problems

C 우리말에 맞게 빈칸을 채워 문장을 완성하세요.

1 그의 월급은 2백만 원이다.

His monthly _____ is two million won.

2 그 남자는 5년 전에 은퇴했다.

The man _____ five years ago.

3 그 사업가는 호텔 세 개를 운영한다.

The businessman _____ three hotels.

4 직업으로 사람을 판단해서는 안 된다.

You shouldn't judge people by their _____ .

5 그녀는 자신의 선행에 대한 보상을 받았다.

She received a(n) _____ for her good conduct.

D 빈칸에 알맞은 단어를 골라 쓰세요.

| status | clerk | succeed | influence |

1 If you work hard, you will _____ .

2 Violent scenes on TV have a bad _____ .

3 I have worked as a bank _____ for 10 years.

4 The social _____ of women has steadily improved.

사회생활

교통/운송

---

161 arrival
[ərάivəl]

몡 도착 **arrive** 동 도착하다

late arrival   연착

When is the **arrival** time of the train?
그 기차의 도착 시각은 언제인가요?

---

162 departure
[dipά:rtʃər]

몡 출발 **depart** 동 출발하다

the departure gate   출발 탑승구

Please check in two hours before **departure** time.
출발 시각 2시간 전에 탑승 수속을 밟으세요.

---

163 delay
[diléi]

몡 지연, 지체 동 지연시키다

without delay   지체하지 않고

The airplane was **delayed** for an hour.
비행기가 1시간 지연되었다.

---

164 flight
[flait]

몡 비행, 항공편

book a flight   항공편을 예약하다

Take care and have a nice **flight**.
몸조심하고 즐거운 비행되세요.

---

165 transportation
[trænspərtéiʃən]

몡 교통, 교통 수단 **transport** 동 운송하다

public transportation   대중교통

We can go everywhere in Seoul using public **transportation**.
서울에서는 대중교통을 이용하여 어디든지 갈 수 있다.

166 return
[ritə́ːrn]

동 1.돌아가다 2.돌려주다 명 1.돌아감 2.반환

return home 집으로 돌아가다

Please **return** your rental car within 24 hours.
24시간 이내에 당신의 대여 차량을 돌려주세요.

167 regular
[régjələr]

형 규칙적인, 정기적인

a **regular** shuttle service 정기적인 왕복 운행

Regular exercise is the key to losing weight.
규칙적인 운동이 체중을 줄이는 비결이다.

168 attendant
[əténdənt]

명 안내원, 수행원

a flight **attendant** 비행기 승무원

The flight **attendants** serve meals in the aisle.
비행기 승무원들은 통로에서 식사를 제공한다.

169 fare
[fɛər]

명 (교통) 요금

air **fares** 항공 요금

How much are children's bus **fares**?
어린이 버스 요금이 얼마인가요?

170 crowded
[kráudid]

형 붐비는 **crowd** 동 붐비다 명 군중

a **crowded** bus 붐비는 버스

The train was **crowded** with people.
그 기차는 사람들로 붐볐다.

171	**deliver** [dilívər]	동 배달하다 delivery 명 배달

deliver a package   소포를 배달하다

Long ago, bicycles were used to **deliver** milk.
오래 전, 자전거는 우유를 배달하는 데 사용되었다.

172	**station** [stéiʃən]	명 역, 정거장

a bus station   버스 정류장

Let's meet in front of the subway **station**.
지하철역 앞에서 만나자.

173	**reserve** [rizə́:rv]	동 예약하다 reservation 명 예약

reserve tickets   표를 예약하다

Can I **reserve** a room for two nights?
이틀 밤 묵을 방 하나를 예약할 수 있을까요?

174	**land** [lænd]	명 땅, 토지 동 착륙하다

farm land   농지

The plane **landed** safely.
그 비행기는 안전하게 착륙했다.

175	**take off**	이륙하다

The plane **took off** from Incheon Airport.
비행기가 인천공항을 이륙했다.

176 cancel
[kǽnsəl]

동 취소하다

cancel reservations   예약을 취소하다

All flights have been cancelled because of the storm.
모든 항공편이 폭풍우 때문에 취소되었다.

177 destination
[dèstənéiʃən]

명 목적지, 도착지

arrive at one's destination   목적지에 도착하다

What is the final destination of this bus?
이 버스의 최종 도착지가 어디입니까?

178 platform
[plǽtfɔ:rm]

명 승강장, 플랫폼

a subway platform   지하철 승강장

Please stay away from the subway platform.
지하철 승강장에서 물러나 주십시오.

179 get on

~에 타다

The students are getting on a bus one by one.
학생들이 차례차례 버스에 타고 있다.

180 get off

~에서 내리다

The place to get off the train is Busan Station.
기차에서 내려야 할 곳은 부산역이다.

A 영어는 우리말로, 우리말은 영어로 바꾸세요.

1 fare ....
2 flight ....
3 deliver ....
4 return ....
5 destination ....
6 arrival ....
7 platform ....
8 departure ....
9 get off ....
10 attendant ....

11 역, 정거장 ....
12 붐비는 ....
13 이륙하다 ....
14 예약하다 ....
15 지연, 지체 ....
16 ~에 타다 ....
17 규칙적인 ....
18 교통 수단 ....
19 땅, 착륙하다 ....
20 취소하다 ....

B 주어진 우리말을 참고하여 어구를 완성하세요.

1 농지 farm ....
2 항공 요금 air ....
3 지체하지 않고 without ....
4 비행기 승무원 a flight ....
5 버스 정류장 a bus ....

C 우리말에 맞게 빈칸을 채워 문장을 완성하세요.

1 그녀는 해외 유학을 마치고 한국에 돌아왔다.

She _____ to Korea after studying abroad.

2 배는 아직 목적지에 도착하지 않았다.

The ship hasn't arrived at its _____ yet.

3 대중교통이 학교에 가는 최고의 방법이다.

Public _____ is the best way to get to school.

4 그녀는 나쁜 날씨 때문에 예약을 취소했다.

She _____ reservations because of the bad weather.

5 그녀가 공항에 도착하자마자 그녀의 팬들이 그녀를 에워쌌다.

On her _____ at the airport, her fans surrounded her.

D 빈칸에 알맞은 단어를 골라 쓰세요. (필요하면 형태를 바꾸세요.)

crowded	regular	deliver	reserve

1 The street is _____ with people.

2 The package was _____ this morning.

3 We need to _____ a table for six people.

4 Eating _____ meals is good for your health.

가정생활

가정

181 celebrate
[séləbrèit]

동 축하하다, 기념하다

celebrate one's birthday   ~의 생일을 기념하다

His friends got together and celebrated his birthday.
친구들이 모여 그의 생일을 축하해 주었다.

182 anniversary
[æ̀nəvə́ːrsəri]

명 기념일

celebrate an anniversary   기념일을 축하하다

When is your parents' wedding anniversary?
너희 부모님의 결혼 기념일은 언제니?

183 scold
[skould]

동 꾸짖다, 야단치다

scold him for being late   지각했다고 그를 꾸짖다

Dad scolded me for coming home late.
아빠는 내가 늦게 귀가한 것에 대해 야단치셨다.

184 orphan
[ɔ́ːrfən]

명 고아   orphanage 명 고아원

be left an orphan   고아가 되다

She will be a mother of the orphan girl.
그녀가 그 고아 소녀의 엄마가 되어 줄 것이다.

185 strict
[strikt]

형 엄격한, 엄한

strict rules   엄격한 규칙들

She is strict with her children.
그녀는 자신의 자녀들에게 엄격하다.

186 adopt
[ədápt]

동 1. 입양하다 2. 채택하다   adoption 명 입양, 채택

adopt a child   아이를 입양하다

They will never **adopt** his point of view.
그들은 그의 견해를 절대 채택하지 않을 것이다.

187 relative
[rélətiv]

명 친척

close relatives   가까운 친척들

I am writing a letter to a **relative** in New York.
나는 뉴욕에 사는 친척에게 편지를 쓰고 있다.

188 mess
[mes]

명 엉망인 상태

be in a mess   난장판이 되어 있다

My baby brother made a **mess** in the room.
내 어린 남동생이 방을 엉망으로 만들었다.

189 allowance
[əláuəns]

명 용돈   allow 동 허락하다

monthly allowance   한 달 용돈

This morning I received my weekly **allowance**.
오늘 아침에 나는 일주일 용돈을 받았다.

190 congratulation
[kəngrǽtʃəléiʃən]

명 축하   congratulate 동 축하하다

in congratulation of   ~을 축하하며

Congratulations on your graduation.
너의 졸업을 축하해.

191 **proud**
[práud]

형 자랑스러운　**pride** 명 자랑스러움, 자부심

be **proud** of oneself　스스로를 자랑스러워하다

They are **proud** of their son.
그들은 자신들의 아들을 자랑스러워한다.

192 **routine**
[ruːtíːn]

명 판에 박힌 일, 일상의 일

daily **routine**　평범한 일상

Sometimes I am tired of my daily **routine**.
가끔 나는 틀에 박힌 나의 일상이 지겹다.

193 **essential**
[isénʃəl]

형 없어서는 안 될, 필수적인　**essence** 명 본질

essential goods　필수품

Having dinner together is an **essential** part of our family life.
저녁 식사를 함께 하는 것이 우리 가정 생활의 필수적인 부분이다.

194 **generation**
[dʒènəréiʃən]

명 세대

the future **generation**　후세대, 후손

There is much to learn from the old **generation**.
구세대로부터 배울 것이 많다.

195 **grocery**
[gróusəri]

명 식료품, 식료품점

a **grocery** store　식료품점

Mom goes **grocery** shopping once a week.
엄마는 일수일에 한 번 식료품을 사러 가신다.

196 funeral
[fjú:nərəl]

명 장례식

attend a funeral 장례식에 참석하다

Many people were at my grandmother's funeral.
많은 사람들이 나의 할머니의 장례식에 왔다.

197 dedicate
[dédəkèit]

동 바치다, 헌신하다 dedication 명 헌신

dedicate one's life to ~을 하는 데 일생을 바치다

He dedicated his life to helping his brothers.
그는 자신의 형제들을 돕는 데 일생을 바쳤다.

198 childhood
[tʃáildhùd]

명 어린 시절

a childhood friend 어린 시절 친구

She enjoyed drawing in her childhood.
그녀는 어린 시절에 그림 그리는 것을 즐겼다.

199 household
[háushòuld]

명 가정, 가족

household goods 가사용품

I do most of the household chores on weekends.
주말에는 내가 집안일의 대부분을 한다.

200 take care of

돌보다

I need someone to take care of my little son.
제 어린 아들을 돌봐 줄 사람이 필요합니다.

A 영어는 우리말로, 우리말은 영어로 바꾸세요.

1	routine		11	엄격한
2	scold		12	세대
3	essential		13	용돈
4	celebrate		14	자랑스러운
5	mess		15	입양하다
6	childhood		16	친척
7	anniversary		17	장례식
8	dedicate		18	축하
9	household		19	식료품
10	orphan		20	돌보다

B 주어진 우리말을 참고하여 어구를 완성하세요.

1 가까운 친척들   close _____

2 식료품점   a(n) _____ store

3 평범한 일상   daily _____

4 어린 시절 친구   a(n) _____ friend

5 기념일을 축하하다   celebrate a(n) _____

C 우리말에 맞게 빈칸을 채워 문장을 완성하세요.

1 그는 자신의 딸들에게 엄격하다.

He is _____ with his daughters.

2 선생님은 그가 지각한 것에 대해 꾸짖으셨다.

The teacher _____ him for being late.

3 그녀는 자신의 삶을 가난한 사람들을 돕는 데 바쳤다.

She _____ her life to helping the poor.

4 그 부모는 자신의 아이들을 매우 자랑스러워했다.

The parents were very _____ of their children.

5 너는 혼자 있을 때 스스로를 돌봐야 한다.

You have to _____ yourself when you're alone.

D 빈칸에 알맞은 단어를 골라 쓰세요. (필요하면 형태를 바꾸세요.)

adopt	essential	celebrate	generation

1 The couple decided to _____ a child.

2 There are three _____ in my family.

3 Regular exercise is _____ for a healthy life.

4 They had a big party to _____ his birthday.

001	**debate**	013	목적지
002	**accident**	014	(교통) 요금
003	**return**	015	엄격한
004	**adopt**	016	익사하다
005	**crash**	017	지식
006	**obtain**	018	국제적인
007	**article**	019	세대
008	**oppose**	020	자랑스러운
009	**get on**	021	의사소통하다
010	**suggest**	022	지연, 지체
011	**arrival**	023	급여, 봉급
012	**argue**	024	거짓의

025	**topic**	037	가라앉다
026	**wound**	038	용돈
027	**insist**	039	비행, 항공편
028	**relative**	040	이론
029	**congratulation**	041	경영하다
030	**asleep**	042	~인 체하다
031	**view**	043	규칙적인
032	**influence**	044	동의하지 않다
033	**absurd**	045	배달하다
034	**attention**	046	노동
035	**examine**	047	승강장
036	**incident**	048	은퇴하다

049	**severe**	062	보상
050	**comment**	063	자살
051	**cancel**	064	땅, 착륙하다
052	**dedicate**	065	맞닥뜨리다
053	**refer**	066	사과
054	**household**	067	책임이 있는
055	**clerk**	068	성공하다
056	**rescue**	069	역, 정거장
057	**clear**	070	면접, 인터뷰
058	**funeral**	071	출발
059	**occupation**	072	지지하다
060	**orphan**	073	극복하다
061	**get off**	074	예약하다

075	**accept**	088	안내원, 수행원
076	**status**	089	꾸짖다
077	**opinion**	090	상담원
078	**transportation**	091	기념일
079	**issue**	092	면허, 면허증
080	**essential**	093	가치 있는
081	**trouble**	094	식료품
082	**professional**	095	붐비는
083	**exactly**	096	기회
084	**celebrate**	097	판에 박힌 일
085	**take care of**	098	엉망인 상태
086	**accomplish**	099	갑자기
087	**take off**	100	어린 시절

가정생활
음식/요리

---

201 flavor
[fléivər]

명 맛

a sweet **flavor**   단맛

The strawberry **flavor** is my favorite.
딸기 맛은 내가 가장 좋아하는 맛이다.

---

202 appetite
[ǽpətàit]

명 식욕, 입맛

lose one's **appetite**   식욕을 잃다

She always has a good **appetite**.
그녀는 항상 식욕이 좋다.

---

203 stir
[stə:r]

동 젓다

stir with a spoon   숟가락으로 젓다

He put some sugar to his coffee and **stirred** it.
그는 커피에 설탕을 넣고 저었다.

---

204 slice
[slais]

명 (얇게 썬) 조각   동 얇게 썰다

a **slice** of cake   케이크 한 조각

She will show us how to **slice** bread.
그녀가 우리에게 빵을 얇게 써는 방법을 보여줄 것이다.

---

205 raw
[rɔ:]

형 날것의, 가공되지 않은

raw meat   생고기

I don't like eating **raw** fish.
나는 생선회 먹는 것을 좋아하지 않는다.

---

206 cuisine
[kwizí:n]

명 요리, 요리법

French cuisine 프랑스 요리

This is the first time I've eaten Mexican cuisine.
나는 멕시코 요리를 처음으로 먹어 본다.

207 roast
[roust]

동 굽다

roast a chicken 닭고기를 굽다

Mom is going to roast a turkey this weekend.
엄마는 이번 주말에 칠면조를 구우실 것이다.

208 ingredient
[ingrí:diənt]

명 재료, 성분

mix ingredients 재료들을 섞다

We only use natural ingredients for our food.
우리는 요리에 천연 재료만을 사용합니다.

209 sticky
[stíki]

형 1. 끈적거리는 2. (날씨가) 후텁지근한

hot and sticky (날씨가) 덥고 후텁지근한

Add milk so you don't make sticky dough.
끈적거리는 반죽을 만들지 않도록 우유를 넣어라.

210 dough
[dou]

명 가루 반죽

make flour into dough 밀가루로 반죽을 만들다

If the dough is too sticky, add more flour.
만약 반죽이 너무 끈적끈적하다면 밀가루를 더 첨가해라.

211 feast
[fiːst]

몝 연회, 잔치

a wedding feast 결혼 피로연

On Christmas, my family has a feast.
크리스마스에 우리 가족은 잔치를 한다.

---

212 salmon
[sǽmən]

몝 연어

smoked salmon 훈제 연어

I'll have a grilled salmon steak, please.
구운 연어 스테이크로 주세요.

---

213 grind
[graind]

grind–ground–ground

동 갈다, 빻다

grind grains 곡물을 빻다

The barista ground the coffee beans into a powder.
그 바리스타는 커피콩을 갈아서 가루로 만들었다.

---

214 blend
[blend]

동 섞다, 혼합하다 blender 몝 믹서기

blend A with B A와 B를 섞다

Blend the flour with the milk.
밀가루와 우유를 섞어라.

---

215 disgusting
[disgʌ́stiŋ]

형 역겨운, 구역질 나는 disgust 동 역겹게 하다

taste disgusting 역겨운 맛이 나다

Where is this disgusting smell coming from?
이 역겨운 냄새는 어디서 나는 거지?

216 **steam**
[sti:m]

명 김, 증기　동 (음식을) 찌다

a steam iron　증기 다리미

Steamed bread is a good snack for kids.
찐빵은 아이들에게 좋은 간식이다.

217 **drain**
[drein]

동 물을 빼내다, 물이 빠지다　명 배수구

a drain pipe　배수관

Rinse the noodles in water and drain well.
국수를 물에 헹구고 물을 잘 빼라.

218 **safety**
[séifti]

명 안전　safe 형 안전한

a safety belt　안전벨트

You have to keep safety rules in cooking.
너는 요리할 때 안전 규칙을 지켜야 한다.

219 **lettuce**
[létis]

명 상추

wash lettuce　상추를 씻다

Wash the lettuce under the running water.
흐르는 물에 상추를 씻어라.

220 **edible**
[édəbl]

형 먹을 수 있는, 식용의

an edible mushroom　식용 버섯

There are some edible flowers.
몇몇 먹을 수 있는 꽃이 있다.

A 영어는 우리말로, 우리말은 영어로 바꾸세요.

1	blend	11	굽다
2	cuisine	12	증기, 찌다
3	edible	13	맛
4	drain	14	날것의
5	feast	15	역겨운
6	slice	16	연어
7	appetite	17	가루 반죽
8	grind	18	끈적거리는
9	stir	19	안전
10	ingredient	20	상추

B 주어진 우리말을 참고하여 어구를 완성하세요.

1 곡물을 빻다   _____ grains

2 역겨운 맛이 나다   taste _____

3 결혼 피로연   a wedding _____

4 식용 버섯   a(n) _____ mushroom

5 숟가락으로 젓다   _____ with a spoon

C 우리말에 맞게 빈칸을 채워 문장을 완성하세요.

1 나는 식욕을 잃었다.

I lost my _____ .

2 그는 절대 생고기를 먹지 않는다.

He never eats _____ meat.

3 고기가 오븐에서 구워졌다.

The meat was _____ in the oven.

4 이제 모든 재료들을 그릇에 함께 섞으시오.

Now mix all the _____ together in a bowl.

5 그 수영장은 물이 아주 천천히 빠진다.

The swimming pool _____ very slowly.

D 빈칸에 알맞은 단어를 골라 쓰세요.

safety	blend	sticky	cuisine

1 It was a hot and _____ summer day.

2 For your _____ , fasten your seat belt.

3 The movie will _____ romance with comedy.

4 This restaurant serves only French _____ .

경제생활
생산/유통

---

221 cost
[kɔ(:)st]

cost-cost-cost

⟦명⟧ 비용 ⟦동⟧ 비용이 ~ 들다

the cost of living 생활비

It costs a lot to buy a house in Seoul.
서울에서 집을 사려면 비용이 많이 든다.

---

222 provide
[prəváid]

⟦동⟧ 제공하다, 공급하다

provide A with B A에게 B를 제공하다

The restaurant provides customers with free bread.
그 식당은 손님들에게 공짜 빵을 제공한다.

---

223 trade
[treid]

⟦명⟧ 거래, 무역 ⟦동⟧ 1. 거래하다, 무역하다 2. 교환하다

fair trade 공정 거래

They traded their goods with each other.
그들은 서로 물건을 교환했다.

---

224 goods
[gudz]

⟦명⟧ 상품, 제품

the price of the goods 상품 가격

They sell electrical goods on the second floor.
그들은 2층에서 전자 제품을 판다.

---

225 export
[ikspɔ́:rt]

⟦동⟧ 수출하다 ⟦명⟧ [ékspɔ:rt] 수출, 수출품

export fruits 과일을 수출하다

Our brand-new cars are exported to many countries.
우리의 최신형 차는 많은 나라로 수출된다.

---

226 supply
[səplái]

명 공급 동 공급하다, 제공하다

in short supply 공급이 부족한

This lake supplies the whole town with water.
이 호수는 마을 전체에 물을 공급한다.

227 available
[əvéiləbl]

형 이용할 수 있는

available facilities 이용할 수 있는 편의 시설

There is no money available for the trip.
여행을 위해 쓸 수 있는 돈이 전혀 없다.

228 produce
[prədjúːs]

동 생산하다, 제작하다 product 명 생산물, 상품

produce a movie 영화를 제작하다

They produce thousands of cars each year.
그들은 매년 수천 대의 차를 생산한다.

229 quality
[kwáləti]

명 품질

be of high quality 품질이 좋다

We provide only products of a high quality.
우리는 오로지 고품질 제품만을 제공한다.

230 consume
[kənsjúːm]

동 소비하다 consumer 명 소비자

consume energy 에너지를 소비하다

The advertisement made people consume more.
그 광고가 사람들로 하여금 더 많이 소비하게 만들었다.

231 import
[impɔ́ːrt]

동 수입하다 명 [impɔːrt] 수입, 수입품

beef import 소고기 수입

They **import** luxury items from Europe.
그들은 유럽에서 사치품들을 수입한다.

232 sale
[seil]

명 1. 판매 2. 할인 판매, 세일

not for **sale** 비매품인

This product will be 20% off during the **sale**.
이 제품은 세일 기간 동안 20% 할인됩니다.

233 tax
[tæks]

명 세금

an income **tax** 소득세

The sales **tax** will be increased next year.
판매세가 내년에 인상될 것이다.

234 equipment
[ikwípmənt]

명 장비, 설비 **equip** 동 장비를 갖추다

sports **equipment** 스포츠 장비

The factory is filled with modern **equipment**.
그 공장은 최신 장비로 가득 차 있다.

235 retail
[ríːteil]

형 소매상의 명 소매, 소매상

a **retail** price 소매 가격

They sell groceries at **retail** prices.
그들은 식료품을 소매 가격으로 판매한다.

236 **develop**
[divéləp]

동 개발하다, 발달하다 **development** 명 개발

a **developing** country 개발도상국

He has a lot of ideas to **develop** new products.
그는 신제품을 개발할 많은 아이디어들을 갖고 있다.

237 **employ**
[implɔ́i]

동 고용하다 **employment** 명 고용

employ engineers 기술자들을 고용하다

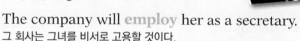

The company will **employ** her as a secretary.
그 회사는 그녀를 비서로 고용할 것이다.

238 **promote**
[prəmóut]

동 1. 촉진하다, 증진하다 2. 홍보하다 3. 승진시키다

promote economic growth 경제 성장을 촉진하다

He visited China to **promote** the new products.
그는 신제품들을 홍보하기 위해 중국을 방문했다.

239 **demand**
[dimǽnd]

명 요구, 수요 동 요구하다

supply and **demand** 수요와 공급

There is a big **demand** for this product.
이 제품은 수요가 많다.

240 **handle**
[hǽndl]

동 다루다, 처리하다 명 손잡이

handle the problem 문제를 처리하다

We need 3 more people to **handle** the packages.
우리는 그 포장물을 취급할 3명의 사람들이 더 필요하다.

경제생활
생산/유통

A 영어는 우리말로, 우리말은 영어로 바꾸세요.

1	supply		11	거래, 무역	
2	equipment		12	다루다, 처리하다	
3	promote		13	비용	
4	provide		14	소비하다	
5	goods		15	판매	
6	demand		16	수출하다	
7	import		17	품질	
8	retail		18	고용하다	
9	available		19	세금	
10	develop		20	생산하다	

B 주어진 우리말을 참고하여 어구를 완성하세요.

1 소매 가격　　　a(n) ＿＿＿＿＿＿＿＿ price

2 비매품인　　　not for ＿＿＿＿＿＿＿＿

3 소득세　　　an income ＿＿＿＿＿＿＿＿

4 공정 거래　　　fair ＿＿＿＿＿＿＿＿

5 수요와 공급　　　supply and ＿＿＿＿＿＿＿＿

우리말에 맞게 빈칸을 채워 문장을 완성하세요.

1 생활비가 오르고 있다.

The _____ of living is rising.

2 신제품을 개발하는 일은 어렵다.

It is hard to _____ new products.

3 내 차는 휘발유를 많이 소비한다.

My car _____ a lot of gas.

4 그 국가는 쌀을 수입하기로 결정했다.

The country decided to _____ rice.

5 사용 설명서는 웹사이트에서 이용 가능하다.

The manuals are _____ on the website.

D 빈칸에 알맞은 단어를 골라 쓰세요. (필요하면 형태를 바꾸세요.)

| quality   employ   equipment   provide |

1 I will _____ a new secretary next Monday.

2 He spends a lot of money on sports _____.

3 The restaurant _____ free cake for all the guests.

4 The product is expensive, but the _____ is very good.

경제생활

돈/금융

---

241 lend
[lend]

lend–lent–lent

동 빌려 주다

lend money   돈을 빌려 주다

Could you **lend** me fifty dollars?
50달러만 빌려 주시겠어요?

---

242 borrow
[bárou]

동 빌리다

borrow twenty dollars   20달러를 빌리다

May I **borrow** your cell phone for a minute?
당신의 휴대 전화를 잠시 빌릴 수 있을까요?

---

243 debt
[det]

명 빚, 부채

get into debt   빚을 지다

The man was happy after he paid off his **debts**.
그 남자는 빚을 갚은 후에 행복했다.

---

244 profit
[práfit]

명 이익, 수익

make a profit   이익을 보다

He made a **profit** from his new business.
그는 그의 새로운 사업으로부터 이익을 보았다.

---

245 exchange
[ikstʃéindʒ]

명 교환   동 교환하다

a foreign exchange student   외국인 교환학생

Please **exchange** dollars for euros.
달러를 유로화로 환전해 주세요.

246 reduce
[ridʒúːs]

동 줄이다, 감소시키다 **reduction** 명 축소, 감소

reduce prices 가격을 내리다

We should **reduce** spending.
우리는 경비를 줄여야 한다.

247 earn
[əːrn]

동 (돈을) 벌다

earn a living 생활비를 벌다

She **earns** a lot of money as an actress.
그녀는 영화배우로서 많은 돈을 번다.

248 invest
[invést]

동 투자하다 **investment** 명 투자

invest A in B A를 B에 투자하다

I will **invest** two thousand dollars in stocks.
나는 주식에 2천 달러를 투자할 것이다.

249 worth
[wəːrθ]

형 가치가 있는 명 가치

of great worth 매우 가치 있는

This old book is **worth** $100.
이 오래된 책은 100달러의 가치가 있다.

250 rob
[rɑb]

동 빼앗다, 훔치다 **robber** 명 강도

rob a bank 은행을 털다

He **robbed** the boy of all his money.
그은 그 소년이 가진 돈을 모두 빼앗았다.

251 expense
[ikspéns]

명 비용, 지출　expend 동 소비하다

school expenses　학비

We need to reduce our living expenses.
우리는 생활비를 줄여야 한다.

252 gain
[gein]

동 얻다, 늘리다

gain weight　체중이 늘다

I gained two million dollars from the business.
나는 사업으로 2백만 달러의 이익을 얻었다.

253 credit card

명 신용 카드

pay with a credit card　신용 카드로 지불하다

May I pay for it with a credit card?
신용 카드로 지불해도 되나요?

254 average
[ǽvəridʒ]

형 평균의　명 평균

average earnings　평균 소득

I work an average of eight hours a day.
나는 하루에 평균 8시간 근무한다.

255 currency
[kə́:rənsi]

명 화폐, 통화　current 형 현재의, 통용되는

currency exchange　환율

The won is the unit of currency in Korea.
원은 한국의 화폐 단위이다.

256 record
[rékərd]

명 1. 기록 2. 음반　동 [rikɔ́ːrd] 1. 기록하다 2. 녹음하다

a world record　세계 기록

You need to record your spending.
당신은 당신의 지출을 기록할 필요가 있다.

---

257 financial
[finǽnʃəl]

형 재정의, 금융의　finance 명 재정, 자금

financial difficulties　재정적인 어려움

Our company entered a financial crisis.
우리 회사는 재정 위기에 봉착했다.

---

258 budget
[bʌ́dʒit]

명 예산, 예산안

make a budget　예산을 편성하다

I make a monthly budget and try to stick to it.
나는 매달 예산안을 세우고 그것을 지키려고 노력한다.

---

259 unfair
[ʌnfέər]

형 불공평한, 부당한

unfair trade　불공정 거래

The new legislation is unfair for the workers.
새 법률안은 노동자들에게 불공평하다.

---

260 pay back

(빌린 돈을) 돌려주다, 갚다

He will pay back the money as soon as possible.
그는 가능한 한 빨리 돈을 돌려줄 것이다.

A 영어는 우리말로, 우리말은 영어로 바꾸세요.

1	invest		11	빚, 부채
2	earn		12	빼앗다
3	pay back		13	교환
4	reduce		14	이익, 수익
5	gain		15	불공평한
6	worth		16	빌려 주다
7	borrow		17	비용, 지출
8	record		18	예산
9	financial		19	신용 카드
10	currency		20	평균의

B 주어진 우리말을 참고하여 어구를 완성하세요.

1 체중이 늘다 _____ weight

2 예산을 편성하다 make a(n) _____

3 재정적인 어려움 _____ difficulties

4 생활비를 벌다 _____ a living

5 20달러를 빌리다 _____ twenty dollars

C 우리말에 맞게 빈칸을 채워 문장을 완성하세요.

1 그는 가난했을 때 빚이 있었다.

He was in _____ when he was poor.

2 나는 신용 카드로 점심값을 지불했다.

I used my _____ to pay for lunch.

3 나는 일주일 이내에 돈을 갚을 것이다.

I will _____ the money within a week.

4 그녀의 성적은 평균에 훨씬 못 미쳤다.

Her grades were far below _____ .

5 그들은 옷 장사로 많은 이익을 보았다.

They made a lot of _____ from selling clothes.

D 빈칸에 알맞은 단어를 골라 쓰세요.

reduce	record	currency	exchange

1 Exercise can help you _____ your stress.

2 Every country uses its own form of _____ .

3 I'd like to _____ this shirt for a bigger one.

4 Try to keep a(n) _____ of everything of your spending.

경제생활

소비/쇼핑

---

261 **spend**
[spend]

spend–spent–spent

명 (돈을) 쓰다, (시간을) 보내다

spend money on   ~에 돈을 쓰다

They **spend** most of their money on food.
그들은 대부분의 돈을 먹는 데 쓴다.

---

262 **discount**
[dískaunt]

명 할인   동 할인하다

give a **discount**   할인해 주다

The shoes were **discounted** to fifty dollars.
그 신발은 50달러로 할인되었다.

---

263 **refund**
[rí:fʌnd]

명 환불   동 [rifʌnd] 환불하다

give a full **refund**   전액 환불하다

You can ask for a **refund** within a week.
당신은 일주일 이내에 환불을 요청할 수 있습니다.

---

264 **afford**
[əfɔ́:rd]

동 여유가 되다

afford to buy a car   차를 살 여유가 되다

He cannot **afford** to buy new shoes.
그는 새 신발을 살 여유가 없다.

---

265 **advertisement**
[ædvərtáizmənt]

명 광고(= ad)

a newspaper **advertisement**   신문 광고

The **advertisement** for the new car is amazing.
새로 나온 차에 대한 광고가 아주 멋지다.

---

266 **attract**
[ətrǽkt]

동 (마음을) 끌다 **attractive** 형 매력적인

attract people's interest   사람들의 흥미를 끌다

The company attracted several investors.
그 회사는 여러 투자자들을 끌었다.

---

267 **receive**
[risíːv]

동 받다

receive a call   전화를 받다

The winner is going to receive 300 million won as a prize.
우승자는 상금으로 3억을 받게 될 것이다.

---

268 **receipt**
[risíːt]

명 영수증

sign a receipt   영수증에 서명하다

I always forget to get a receipt.
나는 영수증 받는 것을 항상 잊어버린다.

---

269 **purchase**
[pə́ːrtʃəs]

동 구입하다 명 구입, 구입품

purchase the goods   상품을 구매하다

He purchased his pants online.
그는 그의 바지를 온라인으로 구매했다.

---

270 **complain**
[kəmpléin]

동 불평하다, 항의하다 **complaint** 명 불평

complain about food   음식에 대해 불평하다

I'm going to complain about the poor service.
나는 형편없는 서비스에 대해 항의할 것이다.

271 income

[ínkʌm]

명 수입, 소득

a monthly income   월 소득

Everyone wants to have a high income.
모든 사람들이 고소득을 받기를 원한다.

272 economics

[ì:kənámiks]

명 경제학

an economics professor   경제학 교수

She knows well about the market because she
studied economics.
그녀는 경제학을 공부했기 때문에 시장에 대해 잘 안다.

273 display

[displéi]

동 전시하다, 진열하다   명 전시, 진열

display new products   신제품을 전시하다

I found that the bicycle was on display.
나는 그 자전거가 진열 중인 것을 발견했다.

274 choice

[tʃɔis]

명 선택   choose 동 선택하다

make a choice   선택하다

You have a choice of chocolate, vanilla, or
strawberry.
초콜릿, 바닐라, 딸기 맛 중에서 고르실 수 있습니다.

275 price tag

명 가격표

check a price tag   가격표를 확인하다

The clerk is putting a price tag on each item.
그 점원이 각 제품에 가격표를 붙이고 있다.

276 **customer**
[kʌ́stəmər]

명 고객

customer service   고객 서비스

Mr. Smith is our regular customer.
Smith 씨는 우리의 단골 고객이다.

277 **offer**
[ɔ́(:)fər]

동 1. 제공하다 2. 제안하다   명 1. 제공 2. 제안

offer a personalized service   개인 맞춤 서비스를 제공하다

She decided to accept their offer.
그녀는 그들의 제안을 받아들이기로 결정했다.

278 **material**
[mətí(:)əriəl]

명 재료, 물질

the cost of materials   재료비

Stone is often used as a building material.
돌은 건축 재료로 흔히 사용된다.

279 **luxury**
[lʌ́kʃəri]

명 사치, 사치품

a life of luxury   사치스러운 생활

He cannot afford to spend money on luxury.
그는 사치품에 돈을 쓸 여유가 없다.

280 **satisfaction**
[sæ̀tisfǽkʃən]

명 만족   satisfy 동 만족시키다

with satisfaction   만족하여

I got a lot of satisfaction from my job.
나는 내 직업에 무척 만족했다.

A 영어는 우리말로, 우리말은 영어로 바꾸세요.

1	offer		11	전시하다
2	material		12	받다
3	purchase		13	불평하다
4	satisfaction		14	여유가 되다
5	refund		15	수입, 소득
6	customer		16	사치, 사치품
7	discount		17	선택
8	attract		18	영수증
9	spend		19	광고
10	economics		20	가격표

B 주어진 우리말을 참고하여 어구를 완성하세요.

1 재료비   the cost of _____

2 경제학 교수   a(n) _____ professor

3 전액 환불하다   give a full _____

4 영수증에 서명하다   sign a(n) _____

5 가격표를 확인하다   check a(n) _____

C 우리말에 맞게 빈칸을 채워 문장을 완성하세요.

1 그는 선택을 잘 했다.

He made a good ....

2 나는 그녀로부터 이메일을 한 통 받았다.

I .... an email from her.

3 그녀는 옷에 그녀의 모든 돈을 쓴다.

She .... all of her money on clothes.

4 나는 항상 옷을 온라인으로 구매한다.

I always .... my clothes online.

5 그들은 그녀의 주의를 끌기 위해 애쓰고 있었다.

They were trying to .... her attention.

D 빈칸에 알맞은 단어를 골라 쓰세요. (필요하면 형태를 바꾸세요.)

income   luxury   display   afford

1 He cannot .... to buy a new car.

2 The rich use most of their money on .... goods.

3 People with high .... should pay more in taxes.

4 Some interesting pictures are .... in the gallery.

여가생활

여행/모험

---

281 experience
[ikspíəriəns]

명 경험 동 경험하다

learn by **experience** 경험으로 배우다

It was the most impressive trip she had ever **experienced**.
그것은 그녀가 이제껏 경험한 여행 중 가장 인상적인 것이었다.

---

282 journey
[dʒə́ːrni]

명 (장거리) 여행

take a **journey** 여행하다

My dream is to go on a **journey** to a strange country.
나의 꿈은 낯선 나라로 먼 여행을 떠나는 것이다.

---

283 adventure
[ədvéntʃər]

명 모험

an exciting **adventure** 흥미진진한 모험

We had a great **adventure** in Africa.
우리는 아프리카에서 멋진 모험을 했다.

---

284 relax
[riláeks]

동 긴장을 풀다, 쉬다

relax in the shade 그늘에서 쉬다

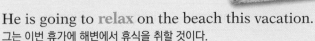

He is going to **relax** on the beach this vacation.
그는 이번 휴가에 해변에서 휴식을 취할 것이다.

---

285 historic
[histɔ́(ː)rik]

형 역사적인, 역사적으로 유명한 **history** 명 역사

a **historic** building 역사적으로 유명한 건물

We'd like to visit **historic** places in India.
우리는 인도에서 역사적인 장소들을 방문하고 싶다.

---

286 **landscape**
[lǽndskèip]

명 경치, 풍경

paint a landscape painting   풍경화를 그리다

He takes good pictures of landscapes.
그는 풍경 사진을 잘 찍는다.

287 **treasure**
[tréʒər]

명 보물

a cultural treasure   문화재

Sungnyemun is the No. 1 national treasure of Korea.
숭례문은 한국의 국보 1호이다.

288 **expedition**
[èkspədíʃən]

명 탐험, 원정

an expedition to Africa   아프리카 원정

We will go on an expedition to the South Pole.
우리는 남극으로 원정을 떠날 것이다.

289 **foreign**
[fɔ́ːrin]

형 외국의   **foreigner** 명 외국인

foreign travel   외국 여행

Can you speak any other foreign languages?
당신은 다른 외국어도 구사할 수 있습니까?

290 **baggage**
[bǽgidʒ]

명 여행 짐, 수하물

baggage claim   (공항 등의) 수하물을 찾는 곳

How many pieces of baggage do you have?
수하물이 몇 개 인가요?

291 **passport**
[pǽspɔːrt]

명 여권

carry one's passport   여권을 소지하다

You have to apply for a passport first.
당신은 우선 여권을 신청해야 한다.

292 **recommend**
[rèkəménd]

동 1. 추천하다 2. 권하다

recommend a trip to Hawaii   하와이 여행을 추천하다

I recommended that he should go see a doctor.
나는 그에게 병원에 가 볼 것을 권했다.

293 **moment**
[móumənt]

명 순간, 잠시

for a moment   잠시 동안

She tries to enjoy every moment of her life.
그녀는 자신의 삶의 매 순간을 즐기려고 노력한다.

294 **abroad**
[əbrɔ́ːd]

부 외국에, 외국으로

live abroad   외국에 살다

I am going to travel abroad alone.
나는 혼자 해외 여행을 할 것이다.

295 **challenging**
[tʃǽlindʒiŋ]

형 도전적인   challenge 동 도전하다 명 도전

a challenging task   도전적인 일

Mike enjoys challenging adventures.
Mike는 도전적인 모험을 즐긴다.

296 monument
[mánjumənt]

명 기념비, 기념물

a historic monument   역사적 기념물

This monument was built for the founder.
이 기념비는 창립자를 기념해서 세워졌다.

297 tough
[tʌf]

형 1. 힘든, 어려운 2. 강인한, 거친

have a tough time   힘든 시간을 보내다

You have to be tough to survive in the desert.
당신은 사막에서 생존하기 위해서 강인해야 한다.

298 souvenir
[sùːvəníər]

명 기념품

a souvenir shop   기념품 가게

I bought postcards as a souvenir of France.
나는 프랑스 방문 기념품으로 엽서를 샀다.

299 require
[rikwáiər]

동 필요로 하다, 요구하다

require attention   주의를 요하다

Traveling around the world requires a lot of time.
세계 일주 여행은 많은 시간을 필요로 한다.

300 accommodate
[əkámədèit]

동 수용하다, 숙박시키다   accommodation 명 숙박 시설

accommodate travelers   여행객을 수용하다

This hotel can accommodate 300
people.
이 호텔은 300명을 수용할 수 있다.

A 영어는 우리말로, 우리말은 영어로 바꾸세요.

1	passport		11	필요로 하다
2	abroad		12	기념품
3	adventure		13	기념비
4	treasure		14	경치, 풍경
5	recommend		15	경험
6	relax		16	순간, 잠시
7	foreign		17	역사적인
8	expedition		18	수하물
9	challenging		19	힘든, 강인한
10	accommodate		20	(장거리) 여행

B 주어진 우리말을 참고하여 어구를 완성하세요.

1 문화재   a cultural ....

2 잠시 동안   for a(n) ....

3 도전적인 일   a(n) .... task

4 외국에 살다   live ....

5 역사적으로 유명한 건물   a(n) .... building

C 우리말에 맞게 빈칸을 채워 문장을 완성하세요.

1 좋은 책을 추천해 주실 수 있나요?

Can you _____ a good book?

2 관광객들이 기념품들을 사고 있다.

The tourists are shopping for _____.

3 여행을 계획하는 것은 많은 주의를 필요로 한다.

Planning a trip _____ a great deal of care.

4 그녀는 해외에 있을 때 힘든 시간을 보냈다.

She had a(n) _____ time when she was abroad.

5 당신은 항상 여권을 휴대해야만 한다.

You have to carry your _____ all the time.

D 빈칸에 알맞은 단어를 골라 쓰세요.

journey	relax	experience	accommodate

1 You need to _____ for a while.

2 Do you have any _____ in selling goods?

3 He is going on a(n) _____ to Australia tomorrow.

4 This guest house can _____ up to 50 people.

001 **profit**

002 **provide**

003 **rob**

004 **goods**

005 **cuisine**

006 **attract**

007 **income**

008 **purchase**

009 **lend**

010 **dough**

011 **customer**

012 **expense**

013 불평하다

014 빚, 부채

015 경험

016 생산하다

017 여권

018 불공평한

019 투자하다

020 날것의

021 거래, 무역

022 환불

023 연어

024 사치, 사치품

025	**moment**	037	역사적인
026	**promote**	038	장비, 설비
027	**roast**	039	할인
028	**exchange**	040	(장거리) 여행
029	**baggage**	041	먹을 수 있는
030	**disgusting**	042	재정의, 금융의
031	**afford**	043	만족
032	**earn**	044	화폐, 통화
033	**handle**	045	물을 빼내다
034	**feast**	046	수입하다
035	**demand**	047	예산
036	**safety**	048	끈적거리는

049	**landscape**	062	식욕, 입맛
050	**employ**	063	품질
051	**grind**	064	젓다
052	**offer**	065	전시하다
053	**receive**	066	기록, 음반
054	**cost**	067	맛
055	**expedition**	068	빌리다
056	**steam**	069	경제학
057	**supply**	070	소매, 소매상
058	**sale**	071	줄이다
059	**gain**	072	평균의
060	**material**	073	세금
061	**worth**	074	모험

075	lettuce	088	수출하다
076	abroad	089	광고
077	slice	090	보물
078	consume	091	이용할 수 있는
079	accommodate	092	기념품
080	spend	093	외국의
081	develop	094	요구하다
082	relax	095	선택
083	blend	096	기념비
084	pay back	097	영수증
085	challenging	098	추천하다
086	ingredient	099	신용 카드
087	tough	100	가격표

여가생활

스포츠

---

301 **outdoor**
[áutdɔ̀ːr]

형 야외의

outdoor activities   야외 활동

My favorite **outdoor** sport is skiing.
내가 가장 좋아하는 야외 운동은 스키이다.

---

302 **cheer**
[tʃiər]

동 응원하다, 환호하다   명 응원, 환호

Cheer up!   힘내!

I want to be a member of the **cheering** team.
나는 그 응원단의 일원이 되고 싶다.

---

303 **competition**
[kàmpitíʃən]

명 1. 경쟁 2. 경기, 시합   **compete** 동 경쟁하다

win a **competition**   시합에서 이기다

There is a lot of **competition** for the job.
그 일자리를 얻기 위한 경쟁이 심하다.

---

304 **referee**
[rèfəríː]

명 심판

complain to the **referee**   심판에게 항의하다

The **referee** ordered the player off
the field.
심판이 그 선수에게 퇴장 명령을 내렸다.

---

305 **defeat**
[difíːt]

동 패배시키다, 이기다   명 패배

defeat an enemy   적을 패배시키다

The Korean national team **defeated** the rival
team, 2-0.
한국 대표팀은 상대 팀을 2대 0으로 이겼다.

---

306 participate
[pɑːrtísəpèit]

동 참가하다, 참여하다   participation 명 참가

participate in the Olympics   올림픽에 참가하다

Many teams participated in the competition.
여러 팀들이 그 경기에 참가했다.

307 relieve
[rilíːv]

동 덜다, 없애다, 완화하다   relief 명 안심, 안도

relieve stress   스트레스를 풀다

Walking is the only way for me to relieve stress.
걷는 것이 내가 스트레스를 푸는 유일한 방법이다.

308 extreme
[ikstríːm]

형 극도의, 극한의

extreme sports   극한 스포츠

Have you ever tried any extreme sports like bungee jumping?
번지 점프 같은 극한 스포츠를 시도해 본 적 있니?

309 rival
[ráivəl]

명 경쟁 상대, 경쟁자

a business rival   사업상의 경쟁자

The swimmer has no rivals in her country.
그 수영 선수는 자신의 나라에서 경쟁 상대가 없다.

310 warn
[wɔːrn]

동 경고하다, 주의를 주다   warning 명 경고

warn of danger   위험을 경고하다

The referee warned him about dangerous play.
심판이 그에게 난폭 경기에 대한 경고를 주었다.

311 stadium
[stéidiəm]

(명) 경기장

a baseball **stadium** 야구장

The **stadium** was filled with people.
그 경기장은 사람들로 가득 찼다.

312 final
[fáinəl]

(형) 마지막의 (명) 결승전 **finally** (부) 마침내

the **final** stage 마지막 단계

He reached the **final** stage of the 100-meter race.
그는 100미터 경주 결승전에 진출했다.

313 sprain
[sprein]

(동) 삐다, 접질리다

sprain one's wrist 손목을 삐다

The player **sprained** his ankle.
그 선수는 발목을 삐었다.

314 concentrate
[kánsəntrèit]

(동) 집중하다 **concentration** (명) 집중

concentrate on studying 공부에 집중하다

He **concentrated** on the game.
그는 경기에 집중했다.

315 sail
[seil]

(동) 항해하다 (명) 돛

raise the **sails** 돛을 올리다

The ship **sails** across the Pacific Ocean.
그 배는 태평양을 가로질러 항해한다.

316 teamwork
[tíːmwə̀ːrk]

명 팀워크, 협동

the importance of teamwork   팀워크의 중요성

Soccer requires teamwork more than individual skill.
축구는 개인기보다 팀워크를 더 필요로 한다.

317 opponent
[əpóunənt]

명 상대, 적수, 반대자   oppose 동 반대하다

a weak opponent   약한 상대

The soccer team easily won against their opponents.
그 축구팀은 그들의 상대를 쉽게 이겼다.

318 valuable
[vǽljuəbl]

형 귀중한, 가치 있는   value 명 가치

valuable time   귀중한 시간

Winning a medal was a valuable experience.
메달을 딴 것은 가치 있는 경험이었다.

319 enthusiastic
[inθjùːziǽstik]

형 열렬한, 열광적인   enthusiasm 명 열광, 열정

an enthusiastic welcome   열렬한 환영

He is very enthusiastic about baseball.
그는 야구에 매우 열광한다.

320 work out

운동하다

She works out regularly to keep in shape.
그녀는 건강을 유지하기 위해 규칙적으로 운동한다.

A 영어는 우리말로, 우리말은 영어로 바꾸세요.

1	opponent		11	마지막의, 결승전	
2	participate		12	집중하다	
3	warn		13	항해하다	
4	referee		14	응원하다	
5	stadium		15	야외의	
6	competition		16	팀워크	
7	valuable		17	극도의	
8	rival		18	삐다	
9	enthusiastic		19	패배시키다	
10	work out		20	덜다, 완화하다	

B 주어진 우리말을 참고하여 어구를 완성하세요.

1 야외 활동   activities

2 야구장   a baseball

3 마지막 단계   the   stage

4 손목을 삐다   one's wrist

5 올림픽에 참가하다   in the Olympics

C 우리말에 맞게 빈칸을 채워 문장을 완성하세요.

1 우리 팀이 그 시합에서 우승했다.

Our team won the ....

2 심판들은 항상 공정해야 한다.

.... should be fair all the time.

3 그녀는 내게 조용히 하라고 경고했다.

She .... me to be quiet.

4 Alice와 나는 항상 경쟁 상대였다.

Alice and I have always been ....

5 너는 일하는 데 더 집중할 필요가 있다.

You need to .... more on your work.

D 빈칸에 알맞은 단어를 골라 쓰세요. (필요하면 형태를 바꾸세요.)

defeat	relieve	enthusiastic	work out

1 He .... his rival in the last game.

2 After work, she goes to the gym to ....

3 I took some medicine to .... my headache.

4 The movie actor received a(n) .... welcome.

국가
국가/제도

---

321 government
[ɡʌ́vərnmənt]

명 정부 **govern** 동 통치하다

the Korean **government** 한국 정부

My mother works for the **government**.
우리 엄마는 공무원이다.

---

322 democracy
[dimɑ́krəsi]

명 민주주의, 민주 국가

liberal **democracy** 자유 민주주의

The basis of **democracy** is freedom.
민주주의의 기반은 자유이다.

---

323 citizen
[sítizən]

명 시민

a **citizen** of Korea 대한민국 시민

She is an American **citizen** but lives in Korea.
그녀는 미국 시민이지만, 한국에 살고 있다.

---

324 policy
[pɑ́ləsi]

명 정책

education **policy** 교육 정책

The country's foreign **policy** is very strict.
그 나라의 대외 정책은 매우 엄격하다.

---

325 equal
[íːkwəl]

형 1.동일한, 같은 2.평등한 동 ~와 같다

be **equal** in size 크기가 같다

They tried to make an **equal** society.
그들은 평등한 사회를 만들기 위해 노력했다.

---

326 **ordinary**
[ɔ́ːrdənèri]

형 보통의, 평범한

ordinary days 평범한 날들

The lives of ordinary people have changed a lot this year.
올해 보통 사람들의 삶들이 많이 바뀌었다.

327 **necessary**
[nèsəséri]

형 필요한, 필수적인 **necessity** 명 필요

necessary information 필요한 정보

If necessary, you can contact public offices.
필요하시면, 여러분은 관공서에 연락할 수 있습니다.

328 **principle**
[prínsəpl]

명 원리, 원칙

in principle 원칙적으로

A majority decision is one basic principle of democracy.
다수결은 민주주의의 기본적인 한 가지 원칙이다.

329 **allow**
[əláu]

동 허락하다, 허용하다 **allowance** 명 용돈, 허용

allow parking 주차를 허용하다

People are allowed to parade on the street.
사람들이 거리에서 행진하는 것은 허용된다.

330 **independent**
[ìndipéndənt]

형 독립된, 독립적인 **independence** 명 독립

an independent country 독립국

Korea became independent from Japan in 1945.
대한민국은 1945년에 일본으로부터 독립했다.

331 **politics**
[pάlitiks]

명 정치, 정치학　**political** 형 정치적인

enter **politics**　정치에 입문하다

Young people these days have no interest in **politics**.
요즘 젊은 사람들은 정치에 관심이 없다.

---

332 **detail**
[ditéil]

명 세부 사항

describe in **detail**　상세하게 묘사하다

Please tell us in **detail** about the new traffic law.
새로운 교통법에 대해 상세하게 설명해 주세요.

---

333 **official**
[əfíʃəl]

형 공무상의, 공식적인　명 공무원, 관리

make an **official** visit　공식 방문을 하다

My uncle is a government **official**.
내 삼촌은 정부의 공무원이다.

---

334 **control**
[kəntróul]

동 지배하다, 통제하다　명 지배, 통제

control the army　군대를 통제하다

The government should **control** the rising food prices.
정부는 상승하는 식품 가격을 통제해야 한다.

---

335 **civil**
[sívəl]

형 시민의, 민간의

civil society　시민 사회

He will return to **civil** life after retiring.
그는 퇴역 후 민간인의 삶으로 돌아갈 것이다.

336 **declare**
[diklɛ́ər]

동 1. **선언하다, 선포하다** 2. **신고하다**

declare war   전쟁을 선포하다

All income must be declared.
모든 소득은 반드시 신고되어야 한다.

337 **former**
[fɔ́ːrmər]

형 **이전의, 예전의**

a former boss   이전 상사

Many people respected the former president.
많은 사람들은 그 전직 대통령을 존경했다.

338 **agreement**
[əgríːmənt]

명 **합의, 협정**   **agree** 동 동의하다

a peace agreement   평화 협정

The big companies had an agreement to hire more people.
대기업들은 더 많은 사람들을 고용하기로 합의했다.

339 **fundamental**
[fʌndəméntəl]

형 **근본적인, 본질적인**

a fundamental problem   근본적인 문제

People are born with fundamental rights.
인간은 기본권을 가지고 태어난다.

340 **undeveloped**
[ʌndivéləpt]

형 **미발달의, 미개발의**

undeveloped land   미개발 토지, 미개척지

There are still undeveloped countries in the world.
세계에는 여전히 후진국들이 있다.

A 영어는 우리말로, 우리말은 영어로 바꾸세요.

1	democracy		11	시민
2	undeveloped		12	합의, 협정
3	official		13	세부 사항
4	control		14	정책
5	politics		15	정부
6	allow		16	선언하다
7	civil		17	필요한
8	principle		18	이전의
9	equal		19	보통의
10	independent		20	근본적인

B 주어진 우리말을 참고하여 어구를 완성하세요.

1 원칙적으로   in _____

2 군대를 통제하다   _____ the army

3 독립국   a(n) _____ country

4 미개발 토지   _____ land

5 상세하게 묘사하다   describe in _____

C 우리말에 맞게 빈칸을 채워 문장을 완성하세요.

1 그녀는 정치에 관심이 없다.

She is not interested in _____.

2 나는 대한민국 시민이다.

I am a(n) _____ of the Republic of Korea.

3 교육 정책에 변화가 있어야 한다.

There should be a change in education _____.

4 신고할 물건이 있습니까?

Is there anything to _____?

5 그녀는 정말 필요할 때만 약을 먹었다.

She took medicine only when really _____.

D 빈칸에 알맞은 단어를 골라 쓰세요. (필요하면 형태를 바꾸세요.)

allow	equal	democracy	fundamental

1 Three plus five _____ eight.

2 _____ respects the rights of the individual.

3 My mom didn't _____ me to sleep over at my friend's house.

4 There is a(n) _____ difference between these two languages.

국가

범죄/규칙

---

341 **crime**
[kraim]

몡 범죄, 죄

commit a crime 죄를 짓다

There is no such thing as a perfect crime.
완전 범죄라는 것은 없다.

---

342 **judge**
[dʒʌdʒ]

몡 재판관, 판사 통 재판하다, 판단하다

a wise judge 현명한 재판관

He was judged guilty.
그는 유죄로 판결되었다.

---

343 **punish**
[pʌ́niʃ]

통 처벌하다 punishment 몡 처벌, 벌

punish him for a crime 그의 죄를 벌하다

She was punished for robbing jewelry.
그녀는 귀금속 절도로 처벌을 받았다.

---

344 **arrest**
[ərést]

통 체포하다 몡 체포

under arrest 구금 중인, 체포되어

He was arrested for receiving bribes.
그는 뇌물 수수 혐의로 체포되었다.

---

345 **court**
[kɔːrt]

몡 1. 법정, 법원 2. 경기장

a basketball court 농구 경기장

I received a notice to appear in court tomorrow.
나는 내일 법원에 출두하라는 통보를 받았다.

---

346 **witness**
[wítnis]

명 목격자, 증인 동 목격하다, 증언하다

look for a witness 목격자를 찾다

He **witnessed** the traffic accident yesterday.
그는 어제 교통사고를 목격했다.

347 **chase**
[tʃeis]

동 뒤쫓다, 추적하다 명 추적, 추격

a car chase 자동차 추격

A man was **chasing** after the thief.
한 남자가 도둑을 뒤쫓고 있다.

348 **evidence**
[évidəns]

명 증거, 흔적

scientific evidence 과학적 증거

We found important **evidence** at the scene.
우리는 현장에서 중요한 증거를 찾아냈다.

349 **escape**
[iskéip]

동 탈출하다, 달아나다 명 탈출

escape from prison 탈옥하다

They safely **escaped** from the burning house.
그들은 불타고 있는 집에서 안전하게 탈출했다.

350 **violent**
[váiələnt]

형 폭력적인, 난폭한 violence 명 폭력

violent scenes 폭력적인 장면

A **violent** incident has happened in the class.
폭력 사건이 교실에서 일어났다.

| 351 | **guilty**
[gílti] | 형 1.유죄의 2.죄책감을 느끼는

be found **guilty**　유죄로 판결되다

I felt **guilty** about telling a lie to her.
나는 그녀에게 거짓말을 한 것에 대해 죄책감 느꼈다. |

| 352 | **innocent**
[ínəsənt] | 형 1.무죄의 2.순진한　**innocence** 명 결백, 무죄

an **innocent** child　순진한 아이

He is **innocent** of the crime.
그는 그 범죄에 대해 결백하다. |

| 353 | **security**
[sikjúrəti] | 명 안전, 안보　**secure** 형 안전한

national **security**　국가 안보

The police closed the road for **security** reasons.
경찰은 보안상의 이유로 그 도로를 폐쇄했다. |

| 354 | **suffer**
[sʌ́fər] | 동 (고통을) 겪다, 고통 받다

suffer from a headache　두통을 앓다

She is **suffering** from shock.
그녀는 충격으로 인해 고통 받고 있다. |

| 355 | **prisoner**
[prízənər] | 명 죄수　**prison** 명 교도소, 감옥

watch a **prisoner**　죄수를 감시하다

The **prisoner** insisted that he was innocent.
그 죄수는 자신이 결백하다고 주장했다. |

356 **cruel**

[krú(ː)əl]

형 잔인한

be cruel to animals   동물들을 학대하다

The gang members were cruel to the people.
그 폭력배 일당들은 사람들에게 잔인하게 대했다.

---

357 **release**

[rilíːs]

동 1. 석방하다, 풀어 주다 2. 공개하다, 발표하다

release a movie   영화를 개봉하다

The prisoner was released last week.
그 죄수는 지난주에 석방되었다.

---

358 **identity**

[aidéntəti]

명 신원, 정체성   **identify** 동 (신원 등을) 확인하다

an identity card   신분증

The police discovered the identity of the killer.
경찰은 살인범의 정체를 알아냈다.

---

359 **involve**

[inválv]

동 1. 포함하다, 수반하다 2. 관련시키다

involved responsibility   책임을 수반하다

They are involved in the crime.
그들은 그 범죄에 관련되어 있다.

---

360 **suspect**

[sʌ́spekt]

동 의심하다   명 용의자

arrest a suspect   용의자를 체포하다

The police suspected that they had stolen the money.
경찰은 그들이 돈을 훔쳤다고 의심했다.

A 영어는 우리말로, 우리말은 영어로 바꾸세요.

1	identity	11	뒤쫓다
2	arrest	12	범죄
3	suffer	13	폭력적인
4	involve	14	유죄의
5	escape	15	법정, 경기장
6	evidence	16	재판관
7	security	17	잔인한
8	punish	18	의심하다
9	witness	19	죄수
10	innocent	20	석방하다

B 주어진 우리말을 참고하여 어구를 완성하세요.

1 신분증   a(n) _____ card

2 탈옥하다   _____ from prison

3 순진한 아이   a(n) _____ child

4 죄를 짓다   commit a(n) _____

5 두통을 앓다   _____ from a headache

C 우리말에 맞게 빈칸을 채워 문장을 완성하세요.

1 그녀는 거짓을 말해서 처벌 받았다.

She was ＿＿＿＿＿＿＿ for telling a lie.

2 그 소년이 유일한 목격자였다.

The boy was the only ＿＿＿＿＿＿＿.

3 경찰은 그 남자를 자동차 절도 혐의로 체포했다.

The police ＿＿＿＿＿＿＿ the man for stealing a car.

4 나는 동물에게 잔인한 사람들을 참을 수 없다.

I can't stand people who are ＿＿＿＿＿＿＿ to animals.

5 그 현명한 재판관은 시민들로부터 존경을 받는다.

The wise ＿＿＿＿＿＿＿ is respected by the citizens.

D 빈칸에 알맞은 단어를 골라 쓰세요. (필요하면 형태를 바꾸세요.)

release	involve	guilty	violent

1 They were ＿＿＿＿＿＿＿ in the fight.

2 A bird was ＿＿＿＿＿＿＿ from its cage.

3 The thief felt ＿＿＿＿＿＿＿ about his crime.

4 There are many ＿＿＿＿＿＿＿ scenes in this movie.

국가

도시/지역

---

361 local
[lóukəl]

형 지역의, 현지의

a **local** newspaper　지역 신문

The **local** time is 9:30 in the morning.
현지 시각은 오전 9시 30분입니다.

---

362 public
[pʌ́blik]

형 공공의, 대중의

public transportation　대중교통

I borrowed the book from a **public** library.
나는 공공 도서관에서 그 책을 빌렸다.

---

363 neighbor
[néibər]

명 이웃, 이웃 사람

a next-door **neighbor**　옆집 사람

My new **neighbor** moved in yesterday.
나의 새 이웃이 어제 이사 왔다.

---

364 rural
[rú(:)ərəl]

형 시골의, 전원의

a **rural** area　시골 지역

He is enjoying a **rural** life after retirement.
그는 은퇴 후에 전원 생활을 즐기고 있다.

---

365 zone
[zoun]

명 구역, 지대

a no-parking **zone**　주차 금지 구역

You should drive slowly in a school **zone**.
어린이 보호 구역에서는 운전을 천천히 해야 한다.

---

366 **capital**
[kǽpitəl]

몡 1. 수도 2. 자본 3. 대문자

foreign capital 외국 자본
capital letter 대문자

The capital of the USA is Washington D.C.
미국의 수도는 워싱턴 D.C.이다.

367 **region**
[ríːdʒən]

몡 지역, 지방 regional 혱 지역의

a mountain region 산악 지역

The region is famous for its natural beauty.
그 지역은 자연의 아름다움으로 유명하다.

368 **suburb**
[sʌ́bəːrb]

몡 교외, 근교

live in a suburb 교외에 살다

My grandparents live in the suburbs of Seoul.
우리 조부모님께서는 서울 근교에 살고 계신다.

369 **downtown**
[dàuntáun]

뵘 시내에, 시내로

go downtown 시내에 가다

The shopping mall is located downtown.
그 쇼핑몰은 시내에 위치하고 있다.

370 **avenue**
[ǽvənjùː]

몡 큰 거리, 대로, ~가

drive down the avenue 대로를 따라 운전하다

The famous coffee shop is on 5th Avenue.
그 유명한 커피숍은 5번가에 있다.

371 **garage**
[ɡərάːʤ]

명 차고, 주차장

garage sale   (자기 집 차고에서 하는) 중고 물품 판매

He put his car in the **garage**.
그는 차를 차고에 넣었다.

372 **owner**
[óunər]

명 주인   **own** 동 소유하다 형 자기 자신의

a hotel **owner**   호텔 주인

The house **owner** painted the fence in pink.
그 집 주인은 담장을 핑크색으로 칠했다.

373 **construct**
[kənstrʌ́kt]

동 건설하다   **construction** 명 건설, 건축물

construct a house   집을 짓다

The local people decided to **construct** a bridge.
지역 주민들은 다리를 건설하기로 결정했다.

374 **settle**
[sétl]

동 1.(문제 등을) 해결하다 2.정착하다

settle a matter   문제를 해결하다

We **settled** in the city.
우리는 그 도시에 정착했다.

375 **territory**
[téritɔ̀ːri]

명 영토   **territorial** 형 영토의

expand one's **territory**   영토를 확장하다

The foreign army cannot stay in our **territory**.
외국군은 우리 영토 내에 머무를 수 없다.

376 **highway**
[háiwèi]

명 고속도로

a busy highway   교통량이 많은 고속도로

He is driving on the highway at full speed.
그는 고속도로에서 전속력으로 운전하고 있다.

377 **sidewalk**
[sáidwɔ̀ːk]

명 인도, 보도

block the sidewalk   인도를 차단하다

People are walking along the sidewalk.
사람들이 인도를 따라 걷고 있다.

378 **resident**
[rézidənt]

명 거주자   형 거주하는   reside 동 거주하다

Seoul residents   서울 거주자들

He is a resident in Germany.
그는 독일에 거주하고 있다.

379 **countryside**
[kʌ́ntrisàid]

명 시골, 지방

live in the countryside   시골에 살다

She grew up in the countryside when she was
a child.
그녀는 어릴 적에 시골에서 자랐다.

380 **skyscraper**
[skáiskrèipər]

명 고층 건물

build a skyscraper   고층 건물을 짓다

There is a restaurant at the top of the skyscraper.
그 고층 건물의 꼭대기에 식당이 있다.

A 영어는 우리말로, 우리말은 영어로 바꾸세요.

1	settle	11	시골의
2	territory	12	차고
3	region	13	고층 건물
4	countryside	14	건설하다
5	public	15	주인
6	zone	16	시내에
7	neighbor	17	수도
8	avenue	18	고속도로
9	local	19	인도
10	suburb	20	거주자

B 주어진 우리말을 참고하여 어구를 완성하세요.

1 교외에 살다   live in a(n) _____

2 주차 금지 구역   a no-parking _____

3 인도를 차단하다   block the _____

4 산악 지역   a mountain _____

5 옆집 사람   a next-door _____

C 우리말에 맞게 빈칸을 채워 문장을 완성하세요.

1 그 지역의 주민들은 대부분 친절하다.

The .... people are mostly friendly.

2 우리는 쇼핑하러 시내에 갈 것이다.

We are going to go .... to shop.

3 지금 당장 해결해야 할 큰 문제가 있다.

There is a huge issue to .... right away.

4 그 다리를 건설하는 데 5년이 걸렸다.

It took five years to .... the bridge.

5 그는 시골에서의 생활에 만족한다.

He is satisfied with his life in the ....

D 빈칸에 알맞은 단어를 골라 쓰세요.

capital	rural	skyscraper	public

1 Beijing is the .... of China.

2 Please be quiet in .... places.

3 The company is planning to build a .... in Seoul.

4 .... life is usually more peaceful than city life.

국가
국제 사회

---

381 global
[glóubəl]

형 세계의   **globalization** 명 세계화

the **global** village   지구촌

We suffer from several **global** problems.
우리는 몇 가지 세계적인 문제들로 시달리고 있다.

---

382 donate
[dóuneit]

동 기부하다, 기증하다   **donation** 명 기부

donate blood   헌혈하다

He decided to **donate** all his money.
그는 그의 돈 전부를 기부하기로 결정했다.

---

383 relationship
[riléiʃənʃìp]

명 관계   **relate** 동 관련시키다

a close **relationship**   친밀한 관계

The **relationship** between North and South Korea is improving.
북한과 남한의 관계는 점차 좋아지고 있다.

---

384 cooperate
[kouápərèit]

동 협동하다, 협력하다   **cooperation** 명 협동, 협력

cooperate with friends   친구들과 협력하다

All the nations must **cooperate** with each other.
모든 국가들은 서로 협력해야 한다.

---

385 border
[bɔ́ːrdər]

명 국경, 경계

cross the **border**   국경을 넘다

The **border** between two countries has changed throughout history.
역사 속에서 두 나라 사이의 국경이 변화해 왔다.

국가 간의 '협동, 연합, 통일' 또는 '충돌, 협박'과 같이 국제 사회에서 일어날 수 있는 일들은
어떻게 영어로 표현할까요?

386 charity
[tʃǽrəti]

명 1. **자선 단체** 2. **자선**

donate money to charity 자선 단체에 돈을 기부하다

She is interested in charity work.
그녀는 자선 활동에 관심이 있다.

387 domestic
[dəméstik]

형 1. **국내의** 2. **가정의, 가사의**

a domestic flight 국내선 항공편

Most victims of domestic violence are women and children.
가정 폭력의 희생자는 대부분 여성과 아이들이다.

388 threat
[θret]

명 **위협, 협박** threaten 동 **위협하다, 협박하다**

make a threat against ~에게 협박을 하다

The terrorist group is making threats against Europe.
테러리스트 단체가 유럽에게 협박을 하고 있다.

389 peaceful
[píːsfəl]

형 **평화로운** peace 명 **평화**

a peaceful life 평화로운 삶

Do you think we live in peaceful times?
당신은 우리가 평화로운 시기에 살고 있다고 생각하는가?

390 situation
[sìtʃuéiʃən]

명 **상황**

a dangerous situation 위험한 상황

I have been in a difficult situation since I lost my job.
나는 실직을 한 이후로 힘든 상황에 처해 있다.

DAY
20

---

391 serve
[sə:rv]

명 1.(음식을) 제공하다 2.봉사하다, 근무하다

serve a meal 식사를 제공하다

Most healthy young men must **serve** in the army.
대부분의 건강한 청년들은 군대에 복무해야 한다.

---

392 resist
[rizíst]

동 저항하다   **resistance** 명 저항

resist the police 경찰에 저항하다

They **resisted** the enemy attacks for two weeks.
그들은 2주일 동안 적의 공격에 저항했다.

---

393 conquer
[káŋkər]

동 정복하다

conquer an enemy 적을 정복하다

The country was **conquered** by foreign invaders.
그 나라는 외국 침략자들에게 정복당했다.

---

394 conflict
[kánflikt]

명 갈등, 충돌 동 [kənflíkt] 충돌하다

a **conflict** between the two countries 두 국가간의 갈등

They **conflict** with each other on everything.
그들은 사사건건 서로 충돌한다.

---

395 immigrate
[íməgrèit]

동 이민 오다, 이주해 오다   **immigrant** 명 이민자

immigrate to Korea 한국으로 이민 오다

They will **immigrate** to Canada next month.
그들은 다음 달에 캐나다로 이민을 올 것이다.

---

396 unite
[júːnait]

동 연합하다

unite and fight   연합하여 싸우다

The two countries have to unite against their common enemy.
그 두 나라는 공동의 적에 맞서기 위해서 연합해야 한다.

397 balance
[bǽləns]

명 균형   동 균형을 잡다

keep a balance   균형을 유지하다

How long can you balance on one leg?
한 다리로 서서 얼마나 오랫동안 균형을 잡을 수 있니?

398 unification
[jùːnəfəkéiʃən]

명 통일   unify 동 통일하다, 통합하다

wish for peaceful unification   평화 통일을 기원하다

Germany achieved its unification in 1990.
독일은 1990년에 통일을 이루었다.

399 authority
[əθɔ́ːrəti]

명 1. 권한, 권위 2. 당국

get permission from the authorities   당국의 허가를 받다

The referee has the authority to stop the game for a while.
심판은 잠시 경기를 중단시킬 수 있는 권한을 가지고 있다.

400 establish
[istǽbliʃ]

동 설립하다, 확립하다   establishment 명 설립, 기관

establish relations   관계를 확립하다

The United Nations was established in 1945.
국제 연합은 1945년에 설립되었다.

A 영어는 우리말로, 우리말은 영어로 바꾸세요.

1	conflict		11	저항하다
2	threat		12	협동하다
3	establish		13	국내의
4	immigrate		14	관계
5	serve		15	국경
6	global		16	권한, 권위
7	conquer		17	자선 단체
8	unification		18	기부하다
9	peaceful		19	균형
10	situation		20	연합하다

B 주어진 우리말을 참고하여 어구를 완성하세요.

1 국경을 넘다   cross the _____

2 식사를 제공하다   _____ a meal

3 친밀한 관계   a close _____

4 적을 정복하다   _____ an enemy

5 ~에게 협박을 하다   make a(n) _____ against

C 우리말에 맞게 빈칸을 채워 문장을 완성하세요.

1 지구 온난화는 세계적인 문제이다.

Global warming is a(n) _____ problem.

2 그녀는 매년 그 자선 단체에 돈을 기부한다.

She _____ money to the charity each year.

3 국내 시장에서는 경쟁이 치열하다.

There's a lot of competition in the _____ market.

4 그는 경찰에 저항하며 달아나려고 애썼다.

He _____ the police and tried to run away.

5 그들은 서방 국가들과 갈등 중에 있다.

They are in _____ with the Western countries.

D 빈칸에 알맞은 단어를 골라 쓰세요.

balance	situation	charity	immigrate

1 They are in a dangerous _____ now.

2 They held a(n) _____ concert to raise money.

3 A lot of people want to _____ to the U.S.

4 It's not easy to keep a(n) _____ between work and family life.

001	**cooperate**	013	이웃
002	**valuable**	014	고속도로
003	**declare**	015	범죄
004	**concentrate**	016	참가하다
005	**sidewalk**	017	항해하다
006	**necessary**	018	체포하다
007	**violent**	019	보통의
008	**relieve**	020	경고하다
009	**release**	021	위협, 협박
010	**conflict**	022	마지막의
011	**resident**	023	신원, 정체성
012	**former**	024	목격자

025	**region**	037	기부하다	
026	**avenue**	038	시골	
027	**suffer**	039	처벌하다	
028	**establish**	040	야외의	
029	**chase**	041	이민 오다	
030	**downtown**	042	주인	
031	**zone**	043	팀워크	
032	**work out**	044	공공의, 대중의	
033	**civil**	045	민주주의	
034	**prisoner**	046	국경	
035	**serve**	047	무죄의	
036	**fundamental**	048	정부	

049	**global**	062	수도
050	**suspect**	063	정복하다
051	**policy**	064	건설하다
052	**relationship**	065	동일한, 평등한
053	**local**	066	지배하다, 통제하다
054	**principle**	067	심판
055	**settle**	068	통일
056	**undeveloped**	069	증거, 흔적
057	**suburb**	070	자선 단체
058	**authority**	071	공무상의, 공무원
059	**security**	072	세부 사항
060	**unite**	073	정치, 정치학
061	**allow**	074	균형

075	**rural**		088	저항하다
076	**opponent**		089	재판관
077	**guilty**		090	차고
078	**territory**		091	탈출하다
079	**competition**		092	응원하다
080	**situation**		093	독립된
081	**enthusiastic**		094	평화로운
082	**involve**		095	극도의
083	**stadium**		096	법정, 경기장
084	**defeat**		097	시민
085	**agreement**		098	고층 건물
086	**domestic**		099	삐다, 접질리다
087	**rival**		100	잔인한

401 **ocean**
[óuʃən]

명 대양, 바다

the Pacific Ocean 태평양

Many strange creatures live in the deep ocean.
많은 신기한 생명체들이 깊은 바다에 산다.

402 **glacier**
[gléiʃər]

명 빙하

mountain glacier 산악 빙하

Water from a melting glacier is the source of the river.
빙하가 녹은 물이 그 강의 원천이다.

403 **rainforest**
[réinfɔːrist]

명 열대 우림

the Amazon rainforest 아마존 열대 우림

Brazil has the world's largest rainforest areas.
브라질은 세계 최대의 열대 우림 지역을 갖고 있다.

404 **shore**
[ʃɔːr]

명 해안, 해변

off shore 해안에서 떨어진

They walked hand in hand along the shore.
그들은 서로 손을 잡고 해안을 따라 걸었다.

405 **horizon**
[həráizən]

명 지평선, 수평선

below the horizon 지평선 아래에

A small boat appeared on the horizon.
작은 배 한 척이 수평선 위로 나타났다.

406 waterfall
[wɔ́:tərfɔ̀:l]

몧 폭포

a magnificent waterfall   웅장한 폭포

We watched the spectacular waterfall together.
우리는 장관을 이루는 폭포를 함께 보았다.

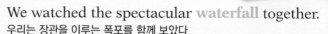

407 species
[spíːʃiːz]

몧 (생물 분류상의) 종(種)

many species of the birds   많은 종의 새들

Many rare species of plants are endangered.
많은 희귀종의 식물들이 멸종 위기에 처해 있다.

408 climate
[kláimit]

몧 기후

a mild climate   온화한 기후

These trees only grow in cold climates.
이 나무는 추운 기후에서만 자란다.

409 dense
[dens]

형 1. 밀집한, 빽빽한 2. 짙은, 자욱한

a dense forest   울창한 숲, 밀림

Dense fog made driving conditions dangerous.
짙은 안개가 운전 환경을 위험하게 만들었다.

410 swamp
[swɑmp]

몧 늪, 습지

fall into a swamp   늪에 빠지다

The area is mostly swamp.
이 지역은 대부분 습지이다.

411 absorb
[əbsɔ́ːrb]

동 1. 흡수하다 2. (관심을) 빼앗다, 열중하게 하다

absorb water 물을 흡수하다

He was **absorbed** in deep thought.
그는 깊은 생각에 빠져 있었다.

---

412 ecosystem
[íkousìstəm]

명 생태계

destroy the ecosystem 생태계를 파괴하다

The spilt oil is threatening the marine **ecosystem**.
유출된 기름이 해양 생태계를 위협하고 있다.

---

413 tide
[taid]

명 조수, 조류

low tide 썰물

High **tide** is at two o'clock in the afternoon.
밀물은 오후 2시다.

---

414 mammal
[mǽməl]

명 포유동물

marine mammals 해양 포유동물들

Human beings, dogs, and cats are all **mammals**.
사람, 개, 고양이는 모두 포유동물이다.

---

415 reflect
[riflékt]

동 1. 반사하다, 비추다 2. 반영하다   reflection 명 반사, 반영

reflect public opinion 여론을 반영하다

They could see the tree **reflected** in the water.
그들은 물에 비춰진 나무를 볼 수 있었다.

416 population
[pὰpjuléiʃən]

명 인구

the world population 세계 인구

This island has a population of about 8,000.
이 섬의 인구는 약 8천 명이다.

417 particular
[pərtíkjələr]

형 특별한, 특정한 particularly 부 특별히, 특히

in particular 특히

Please pay particular attention to spelling.
철자에 특별한 주의를 기울여 주시기 바랍니다.

418 tropical
[trɑ:pikl]

형 열대의, 열대성의

tropical fruit 열대 과일

The tropical storm caused damage to the crops.
열대성 폭풍이 작물에 피해를 주었다.

419 prey
[prei]

명 먹이, 사냥감

the favorite prey 가장 좋아하는 먹이

Baby seals are easy prey for sharks.
어린 물개들은 상어에게 쉬운 먹잇감이다.

420 breed
[bri:d]

breed–bred–bred

동 1. 새끼를 낳다 2. 기르다, 사육하다

breed once a year 일년에 한 번 새끼를 낳다

These cows are bred for giving milk.
이 소들은 우유를 제공하기 위해 사육된다.

A 영어는 우리말로, 우리말은 영어로 바꾸세요.

1	rainforest		11	열대의	
2	tide		12	새끼를 낳다	
3	mammal		13	흡수하다	
4	waterfall		14	먹이, 사냥감	
5	shore		15	밀집한	
6	ecosystem		16	기후	
7	particular		17	지평선	
8	species		18	인구	
9	reflect		19	빙하	
10	swamp		20	대양, 바다	

B 주어진 우리말을 참고하여 어구를 완성하세요.

1 열대 과일   fruit

2 썰물   low

3 울창한 숲   a(n)   forest

4 웅장한 폭포   a magnificent

5 지평선 아래에   below the

C 우리말에 맞게 빈칸을 채워 문장을 완성하세요.

1 세상에는 많은 종의 고양이가 있다.

There are many ⎯⎯⎯⎯⎯ of cats in the world.

2 특히 먹기 싫은 음식이 있니?

Is there anything that you don't want to eat in ⎯⎯⎯⎯⎯ ?

3 실종된 배가 해안에서 떨어진 곳에서 발견되었다.

The missing boat was found off ⎯⎯⎯⎯⎯ .

4 그 열대 식물은 열대 기후에서만 자랄 수 있다.

The tropical plant can grow only in tropical ⎯⎯⎯⎯⎯ .

5 세계 인구는 지구상에 살고 있는 인류의 전체 수를 말한다.

The world ⎯⎯⎯⎯⎯ is the total number of living humans on Earth.

D 빈칸에 알맞은 단어를 골라 쓰세요. (필요하면 형태를 바꾸세요.)

ecosystem	mammal	absorb	prey

1 The root of the tree can ⎯⎯⎯⎯⎯ a lot of water.

2 This lake has an amazingly balanced ⎯⎯⎯⎯⎯ .

3 Mice and small birds are the favorite ⎯⎯⎯⎯⎯ of owls.

4 Some people hunt large ⎯⎯⎯⎯⎯ such as lions and zebras.

자연과 환경

자원/에너지

---

421 energy
[énərdʒi]

명 1. 에너지 2. 힘, 활기

solar energy 태양 에너지

His children are always full of energy.
그의 아이들은 항상 활기가 넘친다.

---

422 coal
[koʊl]

명 석탄

a lump of coal 석탄 한 덩이

She put more coal on the fire.
그녀는 불 위에 석탄을 더 얹었다.

---

423 source
[sɔːrs]

명 근원, 원천, 출처

an energy source 에너지원

For her, reading is a great source of enjoyment.
그녀에게 독서는 즐거움의 커다란 원천이다.

---

424 electricity
[ilektrísəti]

명 전기, 전력

produce electricity 전력을 생산하다

The dam will provide electricity to cities.
그 댐은 도시에 전기를 공급할 것이다.

---

425 fuel
[fjú(ː)əl]

명 연료 동 연료를 공급하다, 주유하다

use fuel 연료를 사용하다

The cost of living rose with the cost
of fuel.
연료비와 함께 생활비가 상승했다.

---

426 **continue**
[kəntínju(:)]

동 계속하다, 지속되다   **continuous** 형 계속되는, 지속적인

continue to study   계속해서 연구하다

The world's scientists continue to develop new energy sources.
세계의 과학자들은 새로운 에너지원을 계속해서 개발하고 있다.

427 **benefit**
[bénəfit]

명 이득, 혜택   **beneficial** 형 유익한, 이로운

be of benefit   도움이 되다

They're enjoying the benefits of living in a warm climate.
그들은 따스한 기후에서 사는 혜택을 누리고 있다.

428 **crisis**
[kráisis]

명 위기, 고비

face a political crisis   정치적 위기에 직면하다

How could the country solve its energy crisis?
그 나라는 어떻게 에너지 위기를 해결할 수 있었나?

429 **nuclear**
[njúːkliər]

형 원자력의

a nuclear power station   원자력 발전소

Some countries rely heavily on nuclear energy.
몇몇 국가는 원자력 에너지에 크게 의존한다.

430 **waste**
[weist]

명 1. 낭비 2. 쓰레기   동 낭비하다

industrial waste   산업 폐기물

If we waste energy, we will regret it someday.
만일 우리가 에너지를 낭비한다면, 언젠가 그것을 후회할 것이다.

431 resource
[ríːsɔ̀ːrs]

명 자원, 물자

mineral **resources** 광물 자원

Plants, animals, air, and water are important natural **resources**.
식물, 동물, 공기와 물은 중요한 천연자원이다.

432 fossil
[fɑsl]

명 화석

a living **fossil** 살아있는 화석

Coal is one of the **fossil** fuels.
석탄은 화석 연료들 중 하나이다.

433 gasoline
[gǽsəlìːn]

명 휘발유, 가솔린(= gas)

a **gasoline** station 주유소

The truck has a big **gasoline** tank.
그 트럭에는 큰 휘발유 탱크가 있다.

434 difficulty
[dífəkʌ̀lti]

명 어려움, 곤경 **difficult** 형 어려운, 힘든

be in **difficulty** 어려움에 처해 있다

They faced up to an unexpected **difficulty**.
그들은 예상치 못한 어려움에 정면으로 맞섰다.

435 production
[prədʌ́kʃən]

명 생산, 생산량 **produce** 동 생산하다

mass **production** 대량 생산

About 60% of oil **production** is used for transportation.
석유 생산량의 약 60%는 운송 수단에 사용된다.

436 powerful
[páuərfəl]

형 강력한, 영향력 있는 **power** 명 힘, 권력

the most powerful nation 가장 영향력 있는 국가

What is the most powerful energy source in the universe?
우주에서 가장 강력한 에너지원은 무엇인가?

437 vehicle
[víːikl]

명 차량, 탈 것

vehicle emissions 차량 배출 가스

An electric vehicle will reduce air pollution.
전기 자동차가 대기 오염을 줄여줄 것이다.

438 potential
[pəténʃəl]

형 잠재적인, 가능성이 있는 명 잠재력, 가능성

a potential source of conflict 잠재적 갈등 요인

Biofuel has great potential as an energy source.
바이오 연료는 에너지원으로써 대단한 가능성을 지니고 있다.

439 transform
[trænsfɔ́ːrm]

동 변형시키다, 바꾸다 **transformation** 명 변화, 변신

transform a teaching method 교육 방식을 바꾸다

This steam engine transforms heat into energy.
이 증기 기관은 열을 에너지로 바꾼다.

440 generate
[dʒénərèit]

동 발생시키다, 만들어 내다 **generation** 명 발생, 세대

generate power 동력을 발생시키다

Wind can be used to generate electricity.
바람은 전기를 만들어 내는 데 사용될 수 있다.

A 영어는 우리말로, 우리말은 영어로 바꾸세요.

1	source	11	강력한
2	fossil	12	에너지
3	vehicle	13	발생시키다
4	nuclear	14	잠재적인
5	continue	15	연료
6	resource	16	변형시키다
7	production	17	어려움, 곤경
8	coal	18	휘발유
9	electricity	19	낭비, 쓰레기
10	crisis	20	이득, 혜택

B 주어진 우리말을 참고하여 어구를 완성하세요.

1 광물 자원　　　mineral

2 주유소　　　a(n) ＿＿＿＿＿ station

3 연료를 사용하다　　　use ＿＿＿＿＿

4 차량 배출 가스　　　＿＿＿＿＿ emissions

5 동력을 발생시키다　　　＿＿＿＿＿ power

C 우리말에 맞게 빈칸을 채워 문장을 완성하세요.

1 누구나 태양의 혜택을 받는다.

Everybody has the ⎯⎯⎯⎯⎯⎯⎯⎯ of the sun.

2 그들은 석탄 한 덩이에도 감사해야 했다.

They had to be thankful even for a lump of ⎯⎯⎯⎯⎯⎯⎯⎯ .

3 바람은 중요한 에너지원들 중의 하나이다.

The wind is one of our important energy ⎯⎯⎯⎯⎯⎯⎯⎯ .

4 지구 온난화는 화석 연료의 사용으로 야기되었을지도 모른다.

Global warming may be caused by using ⎯⎯⎯⎯⎯⎯⎯⎯ fuels.

5 태양 에너지를 사용하는 방법이 우리의 미래를 결정할 것이다.

How to use solar ⎯⎯⎯⎯⎯⎯⎯⎯ will decide our future.

D 빈칸에 알맞은 단어를 골라 쓰세요.

| production | electricity | powerful | nuclear |

1 We need a new way of producing ⎯⎯⎯⎯⎯⎯⎯⎯ .

2 The USA is the most ⎯⎯⎯⎯⎯⎯⎯⎯ nation in the world.

3 There are a lot of ⎯⎯⎯⎯⎯⎯⎯⎯ power stations all over the world.

4 In Brazil, many people are involved in the ⎯⎯⎯⎯⎯⎯⎯⎯ of biofuels.

자연과 환경

자연재해

---

441 temperature
[témpərətʃər]

명 온도, 기온

the highest temperature   최고 기온

The temperature fell below freezing last night.
어젯밤 기온이 영하로 떨어졌다.

---

442 flood
[flʌd]

명 홍수   동 범람하다

a flood warning   홍수 경보

The entire city has been flooded.
도시 전체가 침수되었다.

---

443 terrible
[térəbl]

형 1. 끔찍한, 무서운 2. 심한, 지독한   terribly 부 몹시

a terrible state   끔찍한 상태

That night they were in terrible danger.
그날 밤, 그들은 심각한 위험에 처해 있었다.

---

444 destroy
[distrɔ́i]

동 파괴하다   destruction 명 파괴, 파멸

destroy the environment   환경을 파괴하다

No one wants another war, which might destroy the world.
세계를 멸망시킬 수 있는, 또 한번의 전쟁을 아무도 원하지 않는다.

---

445 damage
[dǽmidʒ]

명 피해, 손해   동 손해를 입히다

extensive damage   막대한 손해

Many homes were badly damaged in the fire.
많은 집이 화재로 심하게 손상되었다.

---

446 **storm**
[stɔːrm]

명 폭풍, 폭풍우

a tropical storm 열대성 폭풍

The storm hit the south of the country last week.
지난주에 폭풍우가 그 나라의 남부 지역을 강타했다.

---

447 **survive**
[sərváiv]

동 1. 살아남다, 생존하다 2. 견디다 survival 명 생존

survive a war 전쟁에서 살아남다

Her family survived the harsh winter.
그녀의 가족은 혹독한 겨울을 견뎌 냈다.

---

448 **poverty**
[pávərti]

명 가난, 빈곤

extreme poverty 극도의 빈곤, 극빈

The typhoon victims live in poverty.
태풍 피해자들은 빈곤한 생활을 하고 있다.

---

449 **scream**
[skriːm]

동 비명을 지르다, 소리치다 명 비명, 절규

a scream of pain 고통에 찬 비명

She was screaming out for help.
그녀는 도와달라고 비명을 지르고 있었다.

---

450 **earthquake**
[ɔ́ːrθkwèik]

명 지진

an earthquake zone 지진 지대, 지진대

The light earthquake shook the bookshelves.
약한 지진으로 책꽂이들이 흔들렸다.

DAY
23

451 **alive**
[əláiv]

형 살아 있는

be still alive   아직 살아 있다

The missing children were found **alive** and well.
실종된 아이들은 무사히 살아 있는 채로 발견되었다.

452 **typhoon**
[taifúːn]

명 태풍

in the **typhoon** area   태풍권 내에

The **typhoon** caused considerable damage in many areas.
태풍은 여러 지역에 막대한 피해를 입혔다.

453 **disaster**
[dizǽstər]

명 재해, 재앙, 참사

an air **disaster**   항공기 참사

We've experienced natural **disasters** such as typhoons and floods.
우리는 태풍과 홍수와 같은 자연재해를 경험했다.

454 **miserable**
[mízərəbl]

형 비참한, 불행한

miserable victims of the flood   홍수 피해를 입은 가련한 희생자들

He had a **miserable** childhood.
그는 불행한 유년기를 보냈다.

455 **avoid**
[əvɔ́id]

동 피하다

avoid a disaster   재난을 방지하다

They carefully **avoided** his eyes.
그들은 조심스럽게 그의 눈을 피했다.

456 **forecast**
[fɔ́:rkæst]

図 예측, 예보 图 예측하다, 예보하다

a weather forecast   일기 예보

Heavy snow is forecast for the weekend.
주말에 폭설이 예보되어 있다.

forecast–forecast(ed)
–forecast(ed)

---

457 **artificial**
[ɑ̀:rtəfíʃəl]

園 인공의, 인위적인

artificial grass   인조 잔디

They made artificial clouds to control
the weather.
그들은 날씨를 조종하기 위해 인공 구름을 만들었다.

---

458 **famine**
[fǽmin]

図 기근, 굶주림

a terrible famine   끔찍한 기근

Thousands of people died of famine that year.
그해에 수천 명의 사람들이 굶어 죽었다.

---

459 **loss**
[lɔ(:)s]

図 손실, 손해   lose 图 분실하다, 잃다

a financial loss   재정적 손실

The hurricane caused huge losses of life.
허리케인으로 인해 엄청난 인명 피해가 발생했다.

---

460 **despair**
[dispέər]

図 절망 图 절망하다

fall into despair   절망에 빠지다

Things look bad now, but don't despair.
상황이 지금 나빠 보이더라도 절망하지 마라.

A 영어는 우리말로, 우리말은 영어로 바꾸세요.

1	destroy		11	살아남다
2	famine		12	비명을 지르다
3	temperature		13	끔찍한, 심한
4	artificial		14	절망
5	alive		15	피해, 손해
6	miserable		16	피하다
7	disaster		17	가난, 빈곤
8	typhoon		18	예측하다
9	earthquake		19	손실
10	storm		20	홍수

B 주어진 우리말을 참고하여 어구를 완성하세요.

1 재정적 손실　　　a financial _____

2 고통에 찬 비명　　a(n) _____ of pain

3 재난을 방지하다　_____ a disaster

4 극도의 빈곤　　　extreme _____

5 지진대　　　　　a(n) _____ zone

C 우리말에 맞게 빈칸을 채워 문장을 완성하세요.

1 우리 마을이 태풍권 내에 들어 있다.

Our town is in the .... area.

2 어젯밤에 끔찍한 폭풍이 있었다.

There was a(n) .... storm last night.

3 홍수 피해자 대부분은 절망에 빠졌다.

Most of the flood victims fell into ....

4 강우량 부족이 아프리카에 광범위한 기근을 불러왔다.

Lack of rain produced widespread .... in Africa.

5 그 화재는 도시 전체에 막대한 손해를 입혔다.

The fire caused extensive .... to the whole city.

D 빈칸에 알맞은 단어를 골라 쓰세요. (필요하면 형태를 바꾸세요.)

forecast	temperature	disaster	destroy

1 He survived the natural ....

2 Part of the building was .... by fire.

3 The weather .... says the typhoon is coming.

4 What's the highest .... ever recorded in Africa?

461 environment
[inváiərənmənt]

명 환경

destroy the **environment** 환경을 파괴하다

Using plastic bags is bad for the **environment**.
비닐 봉투를 사용하는 것은 환경에 좋지 않다.

462 pollute
[pəljúːt]

동 오염시키다, 더럽히다   **pollution** 명 오염, 공해

pollute water 물을 오염시키다

Both the air and the water are **polluted**.
대기와 물 둘 다 오염되었다.

463 prevent
[privént]

동 예방하다, 막다   **prevention** 명 예방

prevent pollution 오염을 막다

Keeping a wound clean helps to **prevent** infections.
상처를 깨끗하게 유지하는 것은 감염을 예방하는 데 도움이 된다.

464 reuse
[riːjúːz]

동 재사용하다   명 재사용

reuse plastic bags 비닐봉지를 재사용하다

They encouraged customers to **reuse** plastic bags.
그들은 고객들에게 비닐봉지를 재사용하도록 권장했다.

465 solution
[səljúːʃən]

명 해결책, 해법   **solve** 동 해결하다, 풀다

come up with a **solution** 해결책을 찾아내다

There is no simple **solution** to the problem of pollution.
공해 문제에 대한 단순한 해결책은 없다.

466 **purify**
[pjú(ː)ərəfài]

동 정화하다, 정제하다   **pure** 형 깨끗한, 순수한

purify the air   공기를 정화하다

You can **purify** water by boiling and filtering it.
물을 끓여서 여과하면 정화할 수 있다.

467 **melt**
[melt]

동 녹다, 녹이다

melt in one's mouth   입에서 살살 녹다

Global warming **melts** the polar glaciers.
지구 온난화가 극지방의 빙하를 녹인다.

468 **volunteer**
[vàləntíər]

명 자원봉사자   동 자원하다

a **volunteer** fire department   의용 소방대

Volunteer researchers are testing drinking water.
자원봉사 연구원들이 식수를 검사하고 있다.

469 **polar**
[póulər]

형 북(남)극의, 극지방의

polar ice caps   극지방의 얼음(만년설)

The number of **polar** bear is decreasing.
북극곰의 수가 줄어들고 있다.

470 **concern**
[kənsə́ːrn]

명 1. 걱정, 근심 2. 관심(사)   동 1. 걱정하다 2. 관계하다

concern about global warming   지구 온난화에 대한 걱정

Air pollution is a major **concern** for the environment.
대기 오염은 환경에 있어서 주요 관심사이다.

471 **recycle**
[riːsáikl]

동 재활용하다, 재생하다

recycle paper and cans　종이와 캔을 재활용하다

Plastic bottles can be **recycled** into clothing.
플라스틱 병은 옷으로 재활용될 수 있다.

---

472 **harmful**
[háːrmfəl]

형 해로운, 유해한　**harm** 명 해 동 해를 끼치다

harmful to the environment　환경에 해로운

Acid rain is **harmful** to the crops and the soil.
산성비는 농작물과 토양에 해롭다.

---

473 **protect**
[prətékt]

동 보호하다, 지키다　**protection** 명 보호

laws to **protect** the environment　환경 보호를 위한 법

His job is to **protect** wild animals.
그의 직업은 야생 동물들을 보호하는 것이다.

---

474 **eco-friendly**

형 환경 친화적인

eco-friendly products　친환경 상품

We have to use **eco-friendly** cleaning products.
우리는 환경 친화적인 세척제를 사용해야만 한다.

---

475 **detergent**
[ditə́ːrdʒənt]

명 세제

liquid **detergent**　액체 세제

Do not use too much laundry **detergent**.
세탁용 세제를 너무 많이 사용하지 마라.

---

476 **consider**
[kənsídər]

동 1.고려하다, 숙고하다 2.여기다

be **considered** essential   필수적인 것으로 여겨지다

We should carefully **consider** what to do for the environment.
우리는 환경을 위해 무엇을 할지 숙고해야 한다.

---

477 **poisonous**
[pɔ́izənəs]

형 유독한, 독성의   **poison** 명 독

a **poisonous** snake   독사

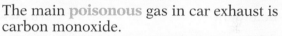

The main **poisonous** gas in car exhaust is carbon monoxide.
자동차 배기가스에서 주된 유독 가스는 일산화탄소이다.

---

478 **conservation**
[kànsərvéiʃən]

명 보호, 보존   **conserve** 동 보호하다

a wildlife **conservation** area   야생 동물 보호 구역

He works for a nature **conservation** organization.
그는 자연 보호 단체에서 일한다.

---

479 **emit**
[imít]

동 내뿜다

emit poisons   독극물을 내뿜다

Old cars **emit** fumes into the air.
오래된 차들은 대기 중으로 매연을 내뿜는다.

---

480 **preserve**
[prizə́:rv]

동 보존하다, 지키다   **preservation** 명 보존

preserve a tradition   전통을 지키다

We must **preserve** the forest for the next generations.
우리는 다음 세대를 위해 숲을 보존해야 한다.

A 영어는 우리말로, 우리말은 영어로 바꾸세요.

1	reuse		11	극지방의
2	solution		12	해로운
3	preserve		13	오염시키다
4	eco-friendly		14	고려하다
5	recycle		15	자원봉사자
6	detergent		16	내뿜다
7	conservation		17	걱정, 근심
8	purify		18	녹다, 녹이다
9	protect		19	예방하다, 막다
10	environment		20	유독한, 독성의

B 주어진 우리말을 참고하여 어구를 완성하세요.

1 오염을 막다   _____ pollution

2 액체 세제   liquid _____

3 극지방의 얼음   _____ ice caps

4 공기를 정화하다   _____ the air

5 야생 동물 보호 구역   a wildlife _____ area

C 우리말에 맞게 빈칸을 채워 문장을 완성하세요.

1 우리는 해결책을 생각해 낼 필요가 있다.

We need to think out a(n) _____ .

2 옳은 일을 하고 싶다면 종이와 캔을 재활용해라.

If you want to do the right thing, _____ paper and cans.

3 대부분의 차는 일산화탄소와 같은 유독 가스를 만들어 낸다.

Most cars produce _____ gases such as carbon monoxide.

4 재활용은 자연 환경을 보존하는 데 도움이 된다.

Recycling helps preserve the natural _____ .

5 지구 온난화에 대한 심각한 걱정이 있다.

There is a serious _____ about global warming.

D 빈칸에 알맞은 단어를 골라 쓰세요.

protect	eco-friendly	reuse	emit

1 She always try to _____ paper bags.

2 They buy only _____ products.

3 An electric car doesn't _____ bad fumes.

4 This jacket can _____ you from the rain and snow.

수와 양

---

481 million
[míljən]

명 백만

six **million** dollars 6백만 달러

The city has a population of half a **million**.
그 도시는 50만 명의 인구를 가지고 있다.

---

482 amount
[əmáunt]

명 1. 양 2. 총액, 액수

a large **amount** of money 거액의 돈

The new car consumes a small **amount** of gas.
그 신형 자동차는 적은 양의 휘발유를 소모한다.

---

483 half
[hæf]

명 절반, 2분의 1 형 1. 절반의 2. 대부분의

half of the cake 케이크의 절반

The baby seems to be asleep **half** the time.
그 아기는 대부분의 시간을 자고 있는 것 같다.

---

484 various
[vέ(:)əriəs]

형 다양한, 여러 가지의 **variety** 명 여러 가지, 다양성

for **various** reasons 여러 가지 이유로

We can reach the destination in **various** ways.
우리는 목적지까지 다양한 방법으로 도달할 수 있다.

---

485 weigh
[wei]

동 무게를 재다, 무게가 ~ 나가다 **weight** 명 무게

weigh the box 상자의 무게를 재다

Do you know how much it **weighs**?
그것의 무게가 얼마나 나가는지 알고 있니?

---

486 **quantity**
[kwántəti]

몡 양, 수량

a large quantity 많은 분량, 막대한 수량

There is a small quantity of sugar left.
소량의 설탕이 남아 있다.

---

487 **subtract**
[səbtrǽkt]

동 빼다, 덜다   subtraction 몡 뺄셈

7-3

subtract 3 from 7   7에서 3을 빼다

They learned how to add and subtract.
그들은 덧셈과 뺄셈을 배웠다.

---

488 **hundreds of**

수백의

Hundreds of people gathered in the park.
수백 명의 사람들이 공원에 모였다.

---

489 **thousands of**

수천의

Insects have lived on the earth for thousands of years.
곤충들은 수천 년 동안 지구상에 살아왔다.

---

490 **measure**
[méʒər]

동 측정하다, 재다   몡 조치

an emergency measure   긴급 조치

Measure the quantity of the water in the tank.
탱크 안의 물의 양을 측정해라.

491 **twice**
[twais]

[부] 1.두 번 2.두 배로

twice a month 한 달에 두 번

His dog was about **twice** the size of my cat.
그의 개는 내 고양이의 약 두 배 크기였다.

492 **several**
[sévərəl]

[형] 몇몇의

several times 수차례, 여러 번

Several people are having dinner at the restaurant.
몇몇 사람들이 그 식당에서 저녁을 먹고 있다.

493 **a piece of**

한 조각의, 한 장의

a piece of cake 케이크 한 조각

Please give me **a piece of** paper.
저에게 종이 한 장을 주세요.

494 **whole**
[houl]

[형] 전체의, 모든 [명] 전체, 전부

the **whole** class 학급 전체

Two halves make a **whole**.
절반 두 개면 전체를 이룬다.

495 **double**
[dʌ́bl]

[형] 두 배의, 이중의 [동] 두 배가 되다

a **double** room 2인용 객실

He **doubled** his income in three years.
그는 3년 후에 수입이 두 배가 되었다.

496 couple
[kʌ́pl]

명 1.한 쌍, 두 개 2.부부, 커플

a newly married couple 신혼부부

He has a couple of problems at school.
그는 학교에서 두어 가지 문제들이 있다.

497 single
[síŋgl]

형 1.단 하나의, 단독의 2.1인용의

a single room 1인용 객실

There isn't a single error in the whole document.
서류 전체에 하나의 실수도 없다.

498 a number of

수많은

A number of accidents happened last year.
작년에 수많은 사고들이 일어났다.

499 maximum
[mǽksiməm]

형 최대의, 최고의 명 최대, 최고

the maximum speed 최고 속력

Thirty five students per class is the maximum.
학급당 35명의 학생이 최대이다.

500 scarce
[skɛ́ərs]

형 부족한, 드문, 희귀한 scarcely 부 거의 ~ 않다

scarce resources 희소 자원

Food and clothing became scarce after the war.
전쟁 후에 식량과 의복이 부족하게 되었다.

A 영어는 우리말로, 우리말은 영어로 바꾸세요.

1 subtract　　　　　　　　　　　11 두 배의

2 quantity　　　　　　　　　　　12 절반

3 twice　　　　　　　　　　　　13 무게를 재다

4 single　　　　　　　　　　　14 최대의

5 various　　　　　　　　　　　15 한 쌍, 부부

6 hundreds of　　　　　　　　　16 전체의

7 thousands of　　　　　　　　17 몇몇의

8 million　　　　　　　　　　　18 한 조각의

9 amount　　　　　　　　　　　19 측정하다, 재다

10 a number of　　　　　　　　20 드문, 희귀한

B 주어진 우리말을 참고하여 어구를 완성하세요.

1 케이크의 절반　　　　　　　　　　 of the cake

2 최고 속력　　　　　the　　　　　　speed

3 6백만 달러　　　　　six　　　　　　dollars

4 신혼부부　　　　　a newly married

5 7에서 3을 빼다　　　　　　　　　3 from 7

C 우리말에 맞게 빈칸을 채워 문장을 완성하세요.

1 질과 양 둘 다 중요하다.

Quality and _____ are both important.

2 학급 전체가 그 시험을 통과했다.

The _____ class passed the examination.

3 그는 여러 가지 이유로 직장을 그만뒀다.

He quit the job for _____ reasons.

4 희소 자원에 대한 수요가 급격히 증가하고 있다.

The demand for _____ resources is increasing rapidly.

5 그들은 재난에 대처하기 위한 긴급 조치를 발표했다.

They announced an emergency _____ to deal with the disaster.

D 빈칸에 알맞은 단어를 골라 쓰세요.

twice	weigh	amount	several

1 He used a scale to _____ the box.

2 We visit our grandmother _____ a month.

3 The meetings have been held in _____ countries.

4 They have a large _____ of information in the computer.

001	whole	013	근원, 원천
002	various	014	열대 우림
003	terrible	015	폭풍, 폭풍우
004	prey	016	흡수하다
005	damage	017	원자력의
006	emit	018	기후
007	scream	019	생존하다
008	dense	020	포유동물
009	continue	021	변형시키다
010	couple	022	파괴하다
011	difficulty	023	녹다, 녹이다
012	environment	024	자원봉사자

025	**reuse**	037	단 하나의
026	**quantity**	038	화석
027	**resource**	039	홍수
028	**polar**	040	몇몇의
029	**waterfall**	041	피하다
030	**vehicle**	042	빙하
031	**concern**	043	지진
032	**benefit**	044	연료
033	**tide**	045	측정하다, 재다
034	**production**	046	한 조각의
035	**despair**	047	두 번
036	**gasoline**	048	지평선, 수평선

049	**particular**	062	낭비, 쓰레기
050	**amount**	063	온도, 기온
051	**powerful**	064	에너지
052	**scarce**	065	인구
053	**preserve**	066	세제
054	**species**	067	유독한, 독성의
055	**recycle**	068	생태계
056	**shore**	069	살아 있는
057	**loss**	070	재해, 재앙
058	**reflect**	071	고려하다
059	**artificial**	072	오염시키다
060	**protect**	073	무게를 재다
061	**subtract**	074	가능성이 있는, 잠재력

075 **crisis**

076 **generate**

077 **poverty**

078 **solution**

079 **ocean**

080 **harmful**

081 **prevent**

082 **a number of**

083 **tropical**

084 **miserable**

085 **forecast**

086 **conservation**

087 **hundreds of**

088 석탄

089 절반, 2분의 1

090 백만

091 전기, 전력

092 새끼를 낳다

093 두 배의

094 최대, 최고

095 늪, 습지

096 태풍

097 기근, 굶주림

098 정화하다

099 수천의

100 환경 친화적인

501 add
[æd]

동 더하다, 추가하다   **addition** 명 덧셈, 추가

`20+12`

add 12 to 20   20에 12를 더하다

I wanted to **add** more sugar to my coffee.
나는 커피에 설탕을 좀 더 추가하기를 원했다.

---

502 pair
[pɛər]

명 짝, 한 쌍

a **pair** of gloves   장갑 한 켤레

She's looking for a **pair** of earrings.
그녀는 귀걸이 한 쌍을 찾고 있다.

---

503 third
[θəːrd]

형 세 번째의

the **third** birthday   세 번째 생일

He will leave on the **third** day of next month.
그는 다음 달 3일에 떠날 것이다.

---

504 plenty
[plénti]

대 많음, 풍부

plenty of resources   풍부한 자원

They had **plenty** of time before they leave.
그들은 떠나기 전에 많은 시간이 있었다.

---

505 divide
[diváid]

동 나누다, 분할하다   **division** 명 나눗셈, 분할

`30÷6`

divide 30 by 6   30을 6으로 나누다

Mom **divided** the cake into eight equal pieces.
엄마는 케이크를 8개의 동일한 조각으로 나눴다.

506 countless
[káuntlis]

[형] 셀 수 없이 많은, 무수한

countless times (셀 수 없을 만큼) 여러 번, 무수히

The countless crowds are waiting for him.
수많은 관중들이 그를 기다리고 있다.

---

507 multiply
[mʌ́ltiplài]

[동] 곱하다

4×9

multiply 4 by 9 4에 9를 곱하다

4 multiplied by 9 equals 36.
4 곱하기 9는 36이다.

---

508 multiple
[mʌ́ltəpl]

[형] 다수의, 많은

multiple meanings 복합적인 의미

There were multiple errors in the report.
보고서에 다수의 오류가 있었다.

---

509 sum
[sʌm]

[명] 1. 금액, 액수 2. 총합, 합계

a large sum of money 큰 액수의 돈

The sum of all the numbers from 1 to 10 is 55.
1에서 10까지의 총합은 55이다.

---

510 dozens of

수십의, 많은

The kid is drawing a picture with dozens of crayons.
그 아이는 수십 자루의 크레용으로 그림을 그리고 있다.

511 entire
[intáiər]

형 전체의

an **entire** day　하루 온종일

He said it was the worst day in his **entire** life.
그는 그날이 그의 전 생애에서 최악의 날이라고 말했다.

512 odd
[ɑd]

형 1. **이상한, 기묘한** 2. **홀수의**

an **odd** thing　이상한 일

Odd numbers cannot be divided by two.
홀수는 2로 나누어 떨어지지 않는다.

513 increase
[ìnkríːs]

동 증가하다, 늘리다　명 [ínkriːs] 증가, 인상

be on the **increase**　증가하고 있다

The population has **increased** by 15 percent over last year.
인구가 작년에 비해 15% 증가했다.

514 decrease
[diːkríːs]

동 감소하다, 줄이다　명 [díːkriːs] 감소, 하락

be on the **decrease**　감소하고 있다

The number of traffic accidents is **decreasing**.
교통사고 건수가 줄어들고 있다.

515 extra
[ékstrə]

형 여분의, 추가의　명 여분의 것

an **extra** charge　추가 요금

When you travel, you should carry an **extra** pair of shoes.
여행을 갈 때는 여분의 신발 한 켤레를 가져가야 한다.

516 mass
[mæs]

명 1. 덩어리 2. 다수, 다량 형 대량의, 대규모의

mass production   대량 생산

There is a huge mass of people around the city hall square.
엄청난 규모의 사람들이 시청 광장에 있다.

517 calculate
[kǽlkjulèit]

동 계산하다, 산출하다   calculation 명 계산, 산출

calculate speed   속도를 계산하다

I'm calculating how much money we need.
나는 우리가 돈이 얼마나 필요한지 산출하고 있다.

518 shortage
[ʃɔ́ːrtidʒ]

명 부족, 결핍

a food shortage   식량 부족

Africa is suffering from severe food shortages.
아프리카 대륙은 극심한 식량 부족으로 고통 받고 있다.

519 triple
[trípl]

형 세 배의, 3중의   동 세 배가 되다

a triple alliance   3국 동맹

The film festival has tripled in size from last year.
그 영화제는 작년에 비해 규모 면에서 세배가 되었다.

520 compare
[kəmpɛ́ər]

동 비교하다, 견주다

compare the front with the back   앞과 뒤를 비교하다

The population of Korea can't compare with that of China.
한국의 인구는 중국의 인구와 견줄 수 없다.

A 영어는 우리말로, 우리말은 영어로 바꾸세요.

1	entire	11	증가하다
2	pair	12	세 배의
3	multiply	13	이상한, 홀수의
4	divide	14	많음, 풍부
5	add	15	금액, 총합
6	multiple	16	감소하다
7	third	17	수십의, 많은
8	compare	18	덩어리, 다량
9	shortage	19	여분의
10	calculate	20	셀 수 없이 많은

B 주어진 우리말을 참고하여 어구를 완성하세요.

1 대량 생산 ＿＿＿＿＿＿ production

2 3국 동맹 a(n) ＿＿＿＿＿＿ alliance

3 20에 12를 더하다 ＿＿＿＿＿＿ 12 to 20

4 추가 요금 a(n) ＿＿＿＿＿＿ charge

5 속도를 계산하다 ＿＿＿＿＿＿ speed

C 우리말에 맞게 빈칸을 채워 문장을 완성하세요.

1 이 간단한 문장은 복합적인 의미를 지니고 있다.

This simple sentence has ＿＿＿＿＿ meanings.

2 오늘은 내 조카의 세 번째 생일이다.

Today is my nephew's ＿＿＿＿＿ birthday.

3 요가는 스트레스 수치를 줄이는 데 도움이 된다.

Yoga helps to ＿＿＿＿＿ levels of stress.

4 그는 큰 액수의 돈을 우리 가족에게 남겼다.

He left a large ＿＿＿＿＿ of money to my family.

5 아이들은 덧셈, 뺄셈, 곱셈, 그리고 나눗셈을 배웠다.

The children learned how to add, subtract, multiply, and ＿＿＿＿＿ .

D 빈칸에 알맞은 단어를 골라 쓰세요. (필요하면 형태를 바꾸세요.)

| entire   increase   plenty   shortage |

1 China has ＿＿＿＿＿ of resources.

2 A food ＿＿＿＿＿ will put us in trouble.

3 The boss called the ＿＿＿＿＿ staff into his office.

4 The number of police officers has ＿＿＿＿＿ by 10 percent.

521 century
[séntʃəri]

명 세기, 100년

for centuries　수세기 동안

The tablet PC first appeared in the 21st century.
태블릿 PC는 21세기에 처음 등장했다.

522 nowadays
[náuədèiz]

부 요즘에는

read little nowadays　요즘 독서를 거의 하지 않다

You look tired at school nowadays.
너는 요즈음 학교에서 피곤해 보인다.

523 decade
[dékeid]

명 10년

for several decades　수십 년 동안

His appearance hasn't changed at all over the last decade.
그의 외모는 지난 10년 동안 전혀 변하지 않았다.

524 period
[pí(:)əriəd]

명 1. 기간, 시기　2. 마침표

the Cold War period　냉전 기간

My English improved in a short period of time.
나의 영어 실력이 단기간에 향상되었다.

525 noon
[nu:n]

명 정오, 낮 12시

meet at noon　정오에 만나다

We should arrive at the airport by noon.
우리는 정오까지 공항에 도착해야 한다.

---

526 **recent**
[rí:sənt]

형 최근의   **recently** 부 최근에

a **recent** event   최근의 사건

In **recent** years, the situation has improved.
최근 몇 년간, 상황이 개선되었다.

---

527 **someday**
[sʌ́mdèi]

부 언젠가, 훗날

someday soon   머지않아, 곧

Everyone will die **someday**.
모든 사람은 언젠가 죽을 것이다.

---

528 **anytime**
[énitàim]

부 언제든지

anytime soon   곧, 당장

Call me **anytime** if you need some help.
도움이 필요하면 언제든지 나한테 전화해.

---

529 **midnight**
[mídnàit]

명 자정, 밤 12시

at **midnight**   한밤중에

The snow stopped around **midnight**.
자정 무렵에 눈이 그쳤다.

---

530 **immediately**
[imí:diətli]

부 즉시, 곧   **immediate** 형 즉각적인

immediately after the war   전쟁 직후에

She accepted my apology **immediately**.
그녀는 내 사과를 즉시 받아들였다.

---

531 minute
[mínit]

명 1.(시간 단위) 분 2. 잠깐, 순간

wait a **minute** 잠깐 기다리다

The train left a few **minutes** ago.
그 기차는 몇 분 전에 떠났다.

---

532 second
[sékənd]

명 (시간 단위) 초　형 두 번째의

the **Second** World War 제2차 세계대전

She can hold her breath for fifty **seconds**.
그녀는 50초 동안 숨을 참을 수 있다.

---

533 quarter
[kwɔ́ːrtər]

명 1.(시간 단위) 15분 2. 4분의 1

a **quarter** of a dollar 25센트

Let's meet at a **quarter** past four.
4시 15분에 만나자.

---

534 frequently
[fríːkwəntli]

부 자주, 종종　frequent 형 잦은, 빈번한

frequently occur 자주 일어나다, 빈번히 일어나다

My dad **frequently** forgets to lock the door.
아버지는 문 잠그는 것을 자주 잊으신다.

---

535 sometimes
[sʌ́mtàimz]

부 때때로, 가끔

sometimes happen 간혹 일어나다

Sometimes, I see her at the library.
때때로, 나는 도서관에서 그녀를 본다.

---

536 later
[léitər]

부 나중에, 후에 형 더 뒤의

sooner or later 조만간, 곧

She became a science teacher two years later.
그녀는 2년 후에 과학 교사가 되었다.

537 prior
[práiər]

형 이전의, 사전의

a prior appointment 이전의 약속, 선약

He told us about the plan prior to the meeting.
그는 회의에 앞서서 우리에게 그 계획에 대해 말해 주었다.

538 constantly
[kánstəntli]

부 끊임없이 constant 형 끊임없는, 한결같은

constantly change 끊임없이 변화하다

He failed to break his own record,
but constantly tried.
그는 자신의 최고 기록을 깨지는 못했지만 끊임없이 시도했다.

539 rarely
[rέərli]

부 좀처럼 ~ 않는, 드물게 rare 형 드문, 희귀한

rarely happen 좀처럼 일어나지 않다

He and I rarely agree on what to eat.
그와 나는 무엇을 먹을지에 대해 좀처럼 의견이 맞지 않는다.

540 teenage
[tí:nèidʒ]

형 십대의

teenage girls 십대 소녀들

Her teenage son is crazy about
computer games.
그녀의 십대 아들은 컴퓨터 게임에 열광적이다.

A 영어는 우리말로, 우리말은 영어로 바꾸세요.

1	decade		11	분
2	sometimes		12	초
3	teenage		13	정오
4	anytime		14	자정
5	nowadays		15	세기, 100년
6	immediately		16	기간, 시기
7	frequently		17	15분, 4분의 1
8	rarely		18	언젠가, 훗날
9	constantly		19	이전의
10	recent		20	나중에

B 주어진 우리말을 참고하여 어구를 완성하세요.

1 수세기 동안   for _____

2 한밤중에   at _____

3 최근의 사건   a(n) _____ event

4 자주 일어나다   _____ occur

5 이전의 약속   a(n) _____ appointment

C 우리말에 맞게 빈칸을 채워 문장을 완성하세요.

1 그 십대 소녀들은 정말로 내 음악을 좋아한다.

The _____ girls really like my music.

2 나는 몇 분 전에 그가 우는 것을 들었다.

I heard his crying a few _____ ago.

3 그녀는 자신의 에세이에 대해서 끊임없이 말했다.

She talked _____ about her essay.

4 이 방법은 현대 의학에서는 좀처럼 사용되지 않는다.

This method is _____ used in modern medicine.

5 그 제독은 전쟁이 끝난 직후에 전역했다.

The admiral retired _____ after the end of the war.

D 빈칸에 알맞은 단어를 골라 쓰세요. (필요하면 형태를 바꾸세요.)

decade	later	sometimes	noon

1 Sooner or _____, the situation will get better.

2 The city has changed a lot in recent _____.

3 My neighbor plays the piano at _____ every day.

4 _____ strange things happen in this house.

541 **direction**
[dirékʃən]

명 1. **방향** 2. **지시, 명령** **direct** 동 ~로 향하다, 지시하다

in every direction   사방으로

Please read the **directions** before using it.
사용하기 전에 지시 사항을 읽어보세요.

542 **location**
[loukéiʃən]

명 **장소, 위치** **locate** 동 ~에 위치하다

a suitable location   적합한 장소

The store moved to a new **location**.
그 가게는 새로운 장소로 이사했다.

543 **inner**
[ínər]

형 **내부의, 안쪽의**

an inner room   안쪽 방, 안방

He never shared his **inner** thoughts with anyone.
그는 자신의 속마음을 누구에게 나누지 않았다.

544 **outer**
[áutər]

형 **외부의, 바깥쪽의**

the outer wall of the palace   궁전의 외벽

They live in the **outer** suburbs of the city.
그들은 그 도시 바깥쪽 변두리에 산다.

545 **forward**
[fɔ́ːrwərd]

부 **앞으로**

move forward   전진하다

He bent **forward** to pick up the newspaper.
그는 신문을 집기 위해서 앞으로 몸을 구부렸다.

546 **southern**
[sʌ́ðərn]

형 남쪽의, 남부의   south 명 남쪽, 남부

a southern accent   남부 억양

This company was founded in southern California.
이 회사는 남부 캘리포니아에서 설립되었다.

547 **northern**
[nɔ́ːrðərn]

형 북쪽의, 북부의   north 명 북쪽, 북부

the Northern hemisphere   북반구

Northern Ireland is a part of the U.K.
북아일랜드는 영국의 일부이다.

548 **eastern**
[íːstərn]

형 동쪽의, 동양의   east 명 동쪽, 동부

Eastern Europe   동유럽

The eastern side of the island is famous for its beautiful beaches.
그 섬의 동부는 아름다운 해변으로 유명하다.

549 **western**
[wéstərn]

형 서쪽의, 서양의   west 명 서쪽, 서부

Western culture   서구 문화

He lives in the western part of the United States.
그는 미국 서부 지역에 산다.

550 **opposite**
[ápəzit]

형 반대의, 맞은편의   명 반대쪽

the exact opposite   정반대

They are going in the opposite direction.
그들은 반대 방향으로 가고 있다.

551	**remote** [rimóut]	형 1. **외딴, 외진** 2. **먼**

a **remote** village   외딴 마을

The waterfall is **remote** from the tourist routes.
그 폭포는 관광 경로에서 멀리 떨어져 있다.

552	**apart** [əpá:rt]	부 **떨어져, 따로**

be **apart** from   ~와 떨어져 있다

They decided to try living **apart** for a while.
그들은 잠시 동안 따로 살아보기로 결정했다.

553	**throughout** [θru(:)áut]	전 1. **~의 도처에** 2. **~ 동안 내내**

throughout the year   일년 내내

Air pollution is a serious problem **throughout**
the world.
대기 오염은 전 세계에 걸쳐 심각한 문제이다.

554	**edge** [edʒ]	명 1. **가장자리, 끝** 2. **(칼 등의) 날**

the **edge** of a knife   칼날

The man was standing on the **edge**
of the cliff.
그 남자는 절벽 끝에 서 있었다.

555	**somewhere** [sʌ́mhwὲər]	부 **어딘가에**

live **somewhere** around here   이 근처 어딘가에 살다

There will be a better location **somewhere** else.
다른 어딘가에 더 나은 장소가 있을 것이다.

556 toward
[tɔːrd]

전 ~를 향하여, ~ 쪽에

face toward the river 강 쪽으로 향하다

The baby is crawling toward me.
아기가 나를 향해 기어오고 있다.

557 underneath
[ʌ̀ndərníːθ]

전 ~ 밑에, 아래에

underneath the table 탁자 밑에

I left a note for you underneath the book.
내가 책 아래에 너를 위한 쪽지를 남겨 두었다.

558 upward
[ʌ́pwərd]

부 위쪽으로

move upward 상승하다

The meeting was attended by upward of 100 people.
그 모임에 100명 이상의 사람들이 참석했다.

559 backwards
[bǽkwərdz]

부 뒤쪽으로, 거꾸로

take a step backwards 한 발 뒤로 물러서다

Bend your body backwards and stretch it.
몸을 뒤로 젖히고 스트레칭 해라.

560 across
[əkrɔ́ːs]

전 1.~ 건너편에 2.~을 가로질러

across the street 길 건너편에

They needed a new bridge across the river.
그들은 그 강을 가로지르는 새로운 다리가 필요했다.

A 영어는 우리말로, 우리말은 영어로 바꾸세요.

1	forward		11 ~ 건너편에	
2	inner		12 뒤쪽으로	
3	apart		13 서쪽의	
4	somewhere		14 가장자리, 끝	
5	throughout		15 방향	
6	northern		16 동쪽의	
7	southern		17 외딴, 먼	
8	outer		18 반대의, 맞은편의	
9	location		19 ~ 밑에, 아래에	
10	upward		20 ~를 향하여	

B 주어진 우리말을 참고하여 어구를 완성하세요.

1 전진하다　　move

2 탁자 밑에　　the table

3 정반대　　the exact

4 적합한 장소　　a suitable

5 남부 억양　　a(n) accent

C 우리말에 맞게 빈칸을 채워 문장을 완성하세요.

1 10에서 1까지 거꾸로 세라.

Count .... from ten to one.

2 경찰은 용의자를 길 건너편에서 봤다.

The police saw the suspect .... the street.

3 그 두 마을은 약 6마일 떨어져 있다.

The two villages are about six miles ....

4 공항은 도시의 북부 지역에 위치해 있다.

The airport is located in the .... part of the city.

5 그의 명성과 인기는 전 세계 도처로 재빠르게 퍼져나갔다.

His fame and popularity spread rapidly .... the world.

D 빈칸에 알맞은 단어를 골라 쓰세요.

| direction   inner   remote   somewhere |

1 The mice ran away in every ....

2 My ID card must be around here ....

3 They wanted to live in a(n) .... country place.

4 The book shows the .... conflict of the writer.

561 experiment
[ikspérəmənt]

몡 실험   통 실험하다   **experimental** 혱 실험의

a scientific experiment   과학 실험

When we do an **experiment**, we wear gloves.
우리는 실험할 때 장갑을 낀다.

562 method
[méθəd]

몡 방법, 수단

an alternative method   대안

The researchers tried to find the most efficient **method**.
연구원들은 가장 효율적인 방법을 찾으려고 노력했다.

563 laboratory
[lǽbrətɔ̀:ri]

몡 실험실, 연구소   혱 실험용의

a laboratory animal   실험용 동물

The sample was sent off to the **laboratory**.
그 견본은 실험실로 보내졌다.

564 research
[risə́:rtʃ]

몡 연구, 조사   통 연구하다, 조사하다

extensive research   광범위한 연구

She did scientific **research** on people's diets.
그녀는 사람들의 식습관에 대한 과학적 연구를 했다.

565 observe
[əbzə́:rv]

통 1. 관찰하다   2. 준수하다   **observation** 몡 관찰

observe the rules   규칙을 준수하다

You can **observe** the process of making ships.
여러분은 배를 만드는 과정을 볼 수 있습니다.

---

566 **result**
[rizʌ́lt]

명 결과 동 (~의 결과로) 생기다

a direct result   직접적인 결과

Their successful experiments **resulted** from their efforts.
성공적인 실험의 결과가 그들의 노력의 결과로 생겼다.

---

567 **solid**
[sɑ́lid]

명 고체 형 단단한, 고체의

a **solid** object   단단한 물체

Water exists in three states – **solid**, liquid, and gas.
물은 고체, 액체, 기체의 세 가지 상태로 존재한다.

---

568 **physics**
[fíziks]

명 물리학   physical 형 물리학의, 육체의

the study of physics   물리학 연구

Physics is a difficult subject but an interesting one.
물리학은 어렵지만 흥미로운 과목이다.

---

569 **chemistry**
[kémistri]

명 화학   chemical 형 화학의, 화학 물질

do research on chemistry   화학 연구를 하다

He does various **chemistry** experiments.
그는 다양한 화학 실험을 한다.

---

570 **prove**
[pru:v]

동 1. 증명하다 2. 드러나다, 판명되다   proof 명 증거

prove scientifically   과학적으로 증명하다

His theory **proved** to be true.
그의 이론이 사실임이 드러났다.

571 **biology**
[baiálədʒi]

명 생물학   **biological** 형 생물학의

marine **biology**   해양 생물학

All the students have to take **biology** class.
모든 학생들은 생물학 수업을 들어야만 한다.

---

572 **achieve**
[ətʃíːv]

동 달성하다, 성취하다   **achievement** 명 달성

achieve a goal   목표를 달성하다

He **achieved** considerable success as a singer.
그는 가수로서 상당한 성공을 이루었다.

---

573 **progress**
[prágres]

명 진전, 진보   동 [prəgrés] 진행되다, 나아가다

medical **progress**   의학적 진보

Work on the new bridge is **progressing** quickly.
새 교량 작업이 빠르게 진행되고 있다.

---

574 **lecture**
[léktʃər]

명 강의, 강연   동 강의하다

listen to a **lecture**   강의를 듣다

He **lectures** on European art at the local college.
그는 지역 대학에서 유럽 미술에 관한 강의를 한다.

---

575 **advance**
[ədvǽns]

명 전진, 진보   동 전진하다, 진보하다

advance on an enemy   적을 향해 진격하다

Advances in science have brought us many benefits.
과학계의 진보가 우리에게 많은 혜택을 가져다 주었다.

---

576 **vain**
[vein]

형 헛된, 헛수고의 **vanity** 명 허영심, 허무함

in vain 허사가 되어, 헛되이

They made a vain attempt to protect her family.
그들은 그녀의 가족을 지키려 하였으나 헛된 일이었다.

---

577 **clone**
[kloun]

동 복제하다 명 복제 생물

clone an animal 동물을 복제하다

This movie is about the first human clone.
이 영화는 최초의 복제 인간을 다룬 것이다.

---

578 **failure**
[féiljər]

명 실패 **fail** 동 실패하다

a business failure 사업 실패

Their new project ended in total failure.
그들의 새 프로젝트는 완전한 실패로 끝났다.

---

579 **evaporate**
[ivǽpərèit]

동 1.증발하다 2.사라지다 **evaporation** 명 증발

evaporate from the soil 땅에서 증발하다

All his hopes began to evaporate.
그의 모든 희망이 사라지기 시작했다.

---

580 **come up with**

생각해내다, 떠올리다

He came up with an idea for the
science project.
그는 과학 프로젝트에 대한 아이디어를 생각해냈다.

A 영어는 우리말로, 우리말은 영어로 바꾸세요.

1	biology		11	증발하다
2	laboratory		12	강의, 강연
3	physics		13	실패
4	research		14	관찰하다
5	chemistry		15	증명하다
6	vain		16	진전, 진행되다
7	method		17	달성하다
8	advance		18	결과
9	experiment		19	복제하다
10	come up with		20	고체

B 주어진 우리말을 참고하여 어구를 완성하세요.

1 직접적인 결과   a direct _____

2 동물을 복제하다   _____ an animal

3 광범위한 연구   extensive _____

4 단단한 물체   a(n) _____ object

5 과학 실험   a scientific _____

C 우리말에 맞게 빈칸을 채워 문장을 완성하세요.

1 그의 연구가 상당한 진전을 보이기 시작했다.

His research started to make considerable ....

2 그 역사 강의는 내일까지 연기되었다.

The history .... was postponed until tomorrow.

3 그들의 실험은 성공과 실패의 연속이었다.

Their experiments were a series of success and ....

4 아인슈타인은 물리학 연구에 그의 일생을 바쳤다.

Einstein dedicated his life to the study of ....

5 우리는 좀 더 믿을 수 있는 지진 예측 방법이 필요하다.

We need a more reliable .... of predicting earthquakes.

D 빈칸에 알맞은 단어를 골라 쓰세요. (필요하면 형태를 바꾸세요.)

achieve	biology	laboratory	vain

1 All his efforts and trials were in ....

2 The scientist finally .... the goal.

3 She is going to take a .... class next semester.

4 I'm against the experiments using .... animals.

과학

우주/지구

---

581 universe
[júːnivəːrs]

몡 우주 universal 휑 보편적인, 일반적인

in the universe 우주에

I believe there is intelligent life elsewhere in the universe.
나는 우주 어딘가에 지능을 가진 생명체가 존재한다고 믿는다.

---

582 gravity
[grǽvəti]

몡 중력

the Earth's gravity 지구의 중력

The law of gravity applies to all objects on earth.
중력의 법칙은 지구상의 모든 사물에 적용된다.

---

583 oxygen
[ɑ́ksidʒən]

몡 산소

oxygen supply 산소 공급

Astronauts need an oxygen tank to breathe in a spaceship.
우주 비행사는 우주선 안에서 숨을 쉬기 위해 산소 탱크가 필요하다.

---

584 satellite
[sǽtəlàit]

몡 위성, 인공위성

a weather satellite 기상 위성

The game was delivered all over the world by satellite.
그 경기는 인공위성을 통해 전 세계에 전달되었다.

---

585 orbit
[ɔ́ːrbit]

몡 궤도 동 (궤도를 그리며) 돌다, 선회하다

the orbit of the Earth 지구의 궤도

The satellite orbits the Earth twice a day.
그 인공위성은 하루에 두 번 지구를 돈다.

---

586 **globe**
[gloub]

명 1. 지구, 지구본 2. 공, 구 **global** 형 세계적인, 지구의

a glass globe 유리구

The satellite can capture the magnificent images around the globe.
인공위성은 전 세계의 경이로운 모습을 포착할 수 있다.

587 **planet**
[plǽnit]

명 행성

the planet Earth 지구라는 행성

Mercury is the closest planet to the sun.
수성은 태양에 가장 가까운 행성이다.

588 **surface**
[sə́ːrfis]

명 표면, 겉

the surface of the moon 달 표면

The surface of the lake was calm.
그 호수의 수면은 잠잠했다.

589 **continent**
[kántənənt]

명 대륙, 육지

the continent of Africa 아프리카 대륙

Asia is the largest continent in the world.
아시아는 세계에서 가장 큰 대륙이다.

590 **atmosphere**
[ǽtməsfìər]

명 1. 대기, 공기 2. 분위기

the upper atmosphere 상층 대기

The restaurant provides a romantic atmosphere.
그 식당은 낭만적인 분위기를 제공한다.

591 **space**
[speis]

명 1. 우주 2. 공간, 장소

a parking space   주차 공간

He is receiving signals from outer space.
그는 우주에서 온 신호를 받고 있다.

592 **explore**
[iksplɔ́ːr]

동 탐험하다, 탐사하다   **exploration** 명 탐험, 탐사

explore space   우주를 탐사하다

Robots will explore Mars instead of astronauts.
로봇이 우주비행사들 대신에 화성을 탐험할 것이다.

593 **solar**
[sóulər]

형 태양의

the solar system   태양계

How many planets are there in the solar system?
태양계에는 몇 개의 행성이 있는가?

594 **galaxy**
[ɡǽləksi]

명 은하, 은하계

a spiral galaxy   나선형 은하

There are billions of galaxies in the universe.
우주에는 무수히 많은 은하계가 있다.

595 **surround**
[səráund]

동 둘러싸다   **surrounding** 형 인근의, 주위의

surround the enemy   적을 둘러싸다

Saturn is surrounded by hundreds of rings.
토성은 수백 개의 고리들로 둘러싸여 있다.

596 spacecraft
[spéiskræft]

몡 우주선

a manned spacecraft 유인 우주선

The government sent a spacecraft to Mars.
정부는 화성에 우주선을 보냈다.

---

597 expect
[ikspékt]

동 기대하다, 예상하다 expectation 몡 기대, 예상

expect A to B A가 B할 것을 기대하다

We expect him to collect the important data from the moon.
우리는 그가 달에서 중요한 자료를 수집할 것을 기대한다.

---

598 endless
[éndlis]

혱 끝없는, 무한한

endless universe 끝없는 우주

It's just the beginning of an endless journey.
그것은 끝없는 여정의 시작에 불과하다.

---

599 finally
[fáinəli]

부 마침내, 마지막으로 final 혱 마지막의, 결국의

finally arrive 마침내 도착하다

An hour later, we finally arrived at the airport.
한 시간 후에, 우리는 마침내 공항에 도착했다.

---

600 detect
[ditékt]

동 감지하다, 알아내다 detective 몡 형사, 탐정

detect a change 변화를 감지하다

The machine is supposed to detect the movement on the surface.
그 기계는 표면의 움직임을 감지하도록 되어 있다.

A 영어는 우리말로, 우리말은 영어로 바꾸세요.

1	galaxy		11	탐험하다
2	planet		12	인공위성
3	space		13	대륙, 육지
4	endless		14	기대하다
5	globe		15	마침내
6	solar		16	둘러싸다
7	universe		17	궤도
8	gravity		18	표면, 겉
9	spacecraft		19	대기, 공기
10	oxygen		20	감지하다

B 주어진 우리말을 참고하여 어구를 완성하세요.

1 산소 공급   _____ supply

2 유인 우주선   a manned _____

3 태양계   the _____ system

4 지구의 중력   the Earth's _____

5 아프리카 대륙   the _____ of Africa

C 우리말에 맞게 빈칸을 채워 문장을 완성하세요.

1 인공위성이 지구 궤도로 진입했다.

The satellite went into the _____ of the Earth.

2 그녀의 집은 나무로 둘러싸여 있다.

Her house is _____ by trees.

3 이제 과학자들은 명왕성이 더 이상 행성이 아니라고 말한다.

Now scientists say Pluto isn't a(n) _____ anymore.

4 우리가 살고 있는 은하는 '은하계'라고 불린다.

The _____ in which we live is called 'the Milky Way.'

5 우주선이 달 표면에 착륙하고 있다.

The spacecraft is landing on the _____ of the moon.

D 빈칸에 알맞은 단어를 골라 쓰세요.

| atmosphere | detect | satellite | globe |

1 The moon is the only natural _____ of the Earth.

2 The company exports various goods all over the _____.

3 It is not hard to _____ the differences between the two planets.

4 The Earth's _____ consists of nitrogen, oxygen and carbon dioxide.

001	**research**	013	10년
002	**period**	014	결과
003	**achieve**	015	실험, 실험하다
004	**plenty**	016	산소
005	**method**	017	금액, 총합
006	**direction**	018	나누다
007	**entire**	019	탐험하다
008	**planet**	020	동쪽의
009	**progress**	021	실패
010	**recent**	022	가장자리, 끝
011	**atmosphere**	023	태양의
012	**sometimes**	024	짝, 한 쌍

025	triple	037	곱하다
026	prior	038	세 번째의
027	remote	039	표면, 겉
028	multiple	040	인공위성
029	solid	041	더하다
030	forward	042	복제하다
031	opposite	043	이상한, 홀수의
032	space	044	실험실
033	anytime	045	십대의
034	backwards	046	끝없는, 무한한
035	globe	047	~ 동안 내내
036	inner	048	생물학

049	**observe**	062	증명하다
050	**universe**	063	중력
051	**underneath**	064	북쪽의
052	**someday**	065	~를 향하여
053	**apart**	066	정오
054	**continent**	067	은하, 은하계
055	**location**	068	증발하다
056	**shortage**	069	서쪽의
057	**constantly**	070	계산하다
058	**somewhere**	071	둘러싸다
059	**vain**	072	감소하다
060	**across**	073	화학
061	**immediately**	074	다수, 대량의

075	**advance**	088	분
076	**expect**	089	초
077	**extra**	090	15분, 4분의 1
078	**outer**	091	궤도
079	**frequently**	092	강의, 강연
080	**detect**	093	남쪽의
081	**later**	094	비교하다, 견주다
082	**countless**	095	좀처럼 ~ 않는
083	**dozens of**	096	세기, 100년
084	**spacecraft**	097	증가하다
085	**nowadays**	098	물리학
086	**upward**	099	자정
087	**come up with**	100	마침내

과학

컴퓨터/인터넷

601 technology
[teknάlədʒi]

명 (과학) 기술

the latest technology   최신 기술

Modern computer **technology** has changed rapidly.
현대 컴퓨터 기술은 빠르게 변화되어 왔다.

602 device
[diváis]

명 기구, 장치

an electronic device   전자 기구

There is a new printing **device** for digital photos.
디지털 사진을 위한 새로운 인쇄 기구가 있다.

603 portable
[pɔ́ːrtəbl]

형 휴대 가능한, 휴대용의

a portable computer   휴대용 컴퓨터

This device is **portable** and simple to use.
이 장치는 휴대가 가능하고 사용하기에 간단하다.

604 software
[sɔ́(ː)ftwὲər]

명 소프트웨어

install software   소프트웨어를 설치하다

They develop the new **software** for kids.
그들은 아이들을 위한 새로운 소프트웨어를 개발했다.

605 search
[səːrtʃ]

동 검색하다, 찾다   명 검색, 수색

search for information   정보를 찾다

When we need certain information, we **search** on the Internet.
어떤 정보가 필요할 때 우리는 인터넷으로 검색한다.

606 revolution
[rèvəljúːʃən]

명 혁명

the information revolution 정보 혁명

The Internet caused a revolution in the way people work.
인터넷은 사람들이 일하는 방식에 혁명을 가져왔다.

607 expert
[ékspəːrt]

명 전문가 형 전문가의, 능숙한

follow expert advice 전문가의 조언에 따르다

She is an expert in computer graphics.
그녀는 컴퓨터 그래픽 분야의 전문가이다.

608 convenient
[kənvíːnjənt]

형 편리한 convenience 명 편의, 편리

a convenient time 편한 시간

Smart phones are convenient to use anywhere.
스마트폰은 어디에서나 사용하기에 편리하다.

609 advantage
[ədvǽntidʒ]

명 이점, 장점

take advantage of ~을 이용하다

The main advantage of the tablet PC is its portability.
태블릿 PC의 주된 장점은 그것의 휴대성이다.

610 ban
[bɑːn]

동 금지하다, 금하다 명 금지

ban A from ~ing A에게 ~을 금지하다

Mom banned me from using the smartphone at night.
엄마는 내가 밤에 스마트폰을 사용하는 것을 금지했다.

611 delete
[dilíːt]

동 지우다, 삭제하다

delete a file 파일을 지우다

He **deleted** the important folder by mistake.
그는 실수로 중요한 폴더를 삭제했다.

612 access
[ǽksès]

명 접근, 접속

have **access** to a computer 컴퓨터를 이용하다

She entered the password to get **access** to the
network system.
그녀는 네트워크 시스템에 접속하기 위해 비밀번호를 입력했다.

613 curious
[kjú(ː)əriəs]

형 궁금한, 호기심이 많은 **curiosity** 명 호기심

be **curious** about ~에 대해 궁금해하다

He felt **curious**, and took the computer apart.
그는 호기심이 생겨서 컴퓨터를 분해했다.

614 property
[prápərti]

명 재산, 소유물

private **property** 사유 재산

Intellectual **property** rights are easily ignored on
the Internet.
지적 재산권은 인터넷에서 쉽게 무시된다.

615 effect
[ifékt]

명 효과, 영향, 결과 **effective** 형 효과적인, 유효한

cause and **effect** 원인과 결과

3D computer graphics are used for special
effects in films.
3D 컴퓨터 그래픽이 영화 속 특수 효과를 위해 사용된다.

616 **connection**
[kənékʃən]

명 1. 연결 2. 관계, 관련(성) connect 동 연결하다

a close connection   밀접한 관계

We had some problems with the Internet connection this morning.
오늘 아침에 인터넷 연결에 문제가 좀 있었다.

617 **virtual**
[vɔ́ːrtʃuəl]

형 1. 가상의 2. 사실상의

a virtual dictator   사실상의 독재자

You can experience virtual reality with these helmets and goggles.
너는 이 헬멧과 고글로 가상 현실을 체험할 수 있다.

618 **worldwide**
[wɔ́ːrldwàid]

형 전 세계적인

the worldwide web   월드와이드웹, 인터넷

The Internet is a worldwide connection of thousands of computers.
인터넷은 수많은 컴퓨터가 전 세계적으로 연결된 것이다.

619 **contact**
[kántækt]

명 연락, 접촉 동 연락하다

keep in contact with   ~와 연락하고 지내다

Please feel free to contact us if you have any questions.
문의 사항이 있으면 언제든지 연락 바랍니다.

620 **probably**
[prábəbli]

부 아마도

will probably rain   아마 비가 올 것이다

Most of us probably can't live without the Internet.
우리들 대부분은 아마 인터넷 없이 살 수 없을 것이다.

A 영어는 우리말로, 우리말은 영어로 바꾸세요.

1	advantage	11	금지하다
2	delete	12	소프트웨어
3	search	13	편리한
4	worldwide	14	연락, 접촉
5	property	15	호기심이 많은
6	revolution	16	기구, 장치
7	probably	17	연결
8	technology	18	효과, 영향
9	portable	19	전문가
10	virtual	20	접근, 접속

B 주어진 우리말을 참고하여 어구를 완성하세요.

1 전자 기구　　　　an electronic

2 정보 혁명　　　　the information

3 원인과 결과　　　cause and

4 사유 재산　　　　private

5 소프트웨어를 설치하다　　install

C 우리말에 맞게 빈칸을 채워 문장을 완성하세요.

1 그는 자신의 태블릿 PC를 최대한 이용하기를 원했다.

He wanted to take full _____ of his tablet PC.

2 그들은 학교에 최신 기술을 도입했다.

They introduced the latest _____ into schools.

3 작은 휴대용 컴퓨터를 랩톱 컴퓨터라고 부른다.

A small _____ computer is called a laptop computer.

4 더 이상 필요하지 않은 파일들은 삭제해야 한다.

You should _____ files that are no longer required.

5 그녀는 컴퓨터 공학 분야의 국제적인 전문가이다.

She is an international _____ in computer technology.

D 빈칸에 알맞은 단어를 골라 쓰세요.

| convenient | curious | contact | worldwide |

1 We have to arrange a _____ time to meet.

2 I keep in _____ with my friend in London by email.

3 A lot of information is freely available over the _____ web.

4 I am _____ about how the world will change with new technologies.

문학과 예술
문학

---

621 literature
[lítərətʃùər]

몡 문학 **literary** 혱 문학의, 문학적인

American literature 미국 문학

Pride and Prejudice by Jane Austen is a great work of literature.
제인 오스틴의 '오만과 편견'은 훌륭한 문학 작품이다.

---

622 classic
[klǽsik]

혱 고전의, 고전적인 몡 고전, 명작

classic music 고전 음악

Alice in Wonderland is one of the greatest English classics.
'이상한 나라의 앨리스'는 가장 훌륭한 영문학 고전들 중 하나이다.

---

623 remain
[riméin]

동 남다, 여전히 ~이다

remain unclear 불분명하게 남다

The Old Man and the Sea still remains a classic.
'노인과 바다'는 여전히 명작이다.

---

624 novel
[návəl]

몡 소설

a novel by Hemingway 헤밍웨이의 소설

The detective novel is a popular genre in England.
추리 소설은 영국에서 인기 있는 장르이다.

---

625 fantasy
[fǽntəsi]

몡 환상, 공상 **fantastic** 혱 환상적인, 엄청난

a fantasy novel 공상 소설

The readers feel like they live in a fantasy world.
독자들은 환상의 세계에 살고 있는 듯한 느낌을 받는다.

---

626 **essay**
[ései]

명 수필, 에세이(과제물)

write an essay 수필을 쓰다

I must hand in an essay to Mr. Kim by noon.
나는 정오까지 김 선생님께 에세이를 제출해야 한다.

627 **poem**
[póuəm]

명 (한 편의) 시

recite a poem 시를 암송하다

The students composed a poem of their own.
학생들은 각자 자신만의 시를 한 편씩 지었다.

628 **imaginary**
[imǽdʒənèri]

형 상상의, 가공의 imagine 동 상상하다

an imaginary friend 상상 속의 친구

He made the story more exciting by creating an
imaginary person.
그는 가공의 인물을 창조하여 이야기를 더 흥미롭게 만들었다.

629 **award**
[əwɔ́ːrd]

명 상 동 (상을) 수여하다, 주다

win an award for ~에 대해 상을 받다

He was awarded the Nobel Prize for Literature.
그는 노벨 문학상을 받았다.

630 **genre**
[ʒɑ́ːŋrə]

명 장르, 종류

literary genre 문학 장르

Her recent books cover a variety of genres.
그녀의 최근 책들은 다양한 장르를 아우르고 있다.

631 appeal
[əpíːl]

⟨동⟩ 1. 흥미를 끌다 2. 호소하다   ⟨명⟩ 1. 매력 2. 호소

a desperate appeal   필사적인 호소

His writing style would appeal to all ages.
그의 문체는 모든 연령대의 흥미를 끌 것이다.

632 metaphor
[métəfɔ̀ːr]

⟨명⟩ 은유, 비유

use a metaphor   은유를 사용하다

Poetic metaphors deliver a lot of ideas in just a few words.
시적 은유는 단어 몇 개만으로 많은 생각을 전달한다.

633 irony
[áiərəni]

⟨명⟩ 1. 역설, 모순 2. 풍자, 반어법   ironic ⟨형⟩ 반어적인, 비꼬는

a bitter irony   신랄한 풍자

The writer is known for her clever use of irony.
그 작가는 반어법을 잘 사용하는 것으로 알려져 있다.

634 myth
[miθ]

⟨명⟩ 1. 신화 2. 미신, 근거 없는 이야기

contrary to popular myth   대중의 근거 없는 믿음과는 달리

The characters are closely connected to each other in the Greek myths.
그리스 신화에는 등장인물들이 서로 긴밀하게 연결되어 있다.

635 emotional
[imóuʃənəl]

⟨형⟩ 감정적인, 감동적인   emotion ⟨명⟩ 감정, 정서

an emotional speech   감동적인 연설

The emotional language in the book appealed to teenage readers.
그 책의 감정을 자극하는 표현은 십대 독자들의 흥미를 끌었다.

636 tale
[teil]

명 이야기

a folk tale 설화, 민담

The children like to hear fairy tales.
그 아이들은 동화 듣는 것을 좋아한다.

---

637 biography
[baiágrəfi]

명 전기, 일대기

a famous biography writer 유명한 전기 작가

It was exciting to read a biography of Einstein.
아인슈타인의 전기를 읽는 것은 흥미로웠다.

---

638 personal
[pə́rsənəl]

형 개인적인, 개인의   person 명 사람, 개인

personal experience   개인적인 경험

In my personal opinion, the book is full of ironies.
내 개인적인 의견으로는 그 책은 모순으로 가득 차 있다.

---

639 review
[rivjú:]

명 1. 논평 2. 검토   동 1. 논평하다 2. 검토하다 3. 복습하다

a strict review process   엄격한 검토 과정

He wrote a review of *Romeo and Juliet*.
그는 '로미오와 줄리엣'에 대한 비평을 썼다.

---

640 advice
[ədváis]

명 충고, 조언   advise 동 충고하다, 조언하다

a piece of advice   충고 한 마디

She took my advice and started writing books.
그녀는 내 충고를 받아들여 책을 쓰기 시작하였다.

A 영어는 우리말로, 우리말은 영어로 바꾸세요.

1	metaphor		11	충고, 조언	
2	fantasy		12	수필, 에세이	
3	tale		13	상, 수여하다	
4	genre		14	흥미를 끌다	
5	novel		15	고전의	
6	biography		16	감정적인	
7	imaginary		17	역설, 풍자	
8	literature		18	논평, 검토	
9	remain		19	신화, 미신	
10	poem		20	개인적인	

B 주어진 우리말을 참고하여 어구를 완성하세요.

1 설화, 민담   a folk _____

2 신랄한 풍자   a bitter _____

3 시를 암송하다   recite a(n) _____

4 에세이를 쓰다   write a(n) _____

5 유명한 전기 작가   a famous _____ writer

C 우리말에 맞게 빈칸을 채워 문장을 완성하세요.

1 유니콘은 상상의 동물이다.

The unicorn is a(n) .... creature.

2 그들은 대학에서 영문학을 공부했다.

They studied English .... at the university.

3 이 이야기는 그녀의 개인적인 경험에서 쓴 것이다.

This story is written from her .... experience.

4 노벨상 수상작인 이 소설은 실화에 바탕을 두고 있다.

This Nobel Prize-winning .... is based on a true story.

5 대중의 근거 없는 믿음과는 달리, 이 지역의 사람들이 모두 부자인 것은 아니다.

Contrary to popular .... , not everyone in this area is rich.

D 빈칸에 알맞은 단어를 골라 쓰세요. (필요하면 형태를 바꾸세요.)

| award | fantasy | advice | metaphor |

1 I should have followed your ....

2 We can use .... to express abstract concepts.

3 The book is a(n) .... novel about a boy wizard.

4 He won a(n) .... for his excellent writing skills.

문학과 예술
언어

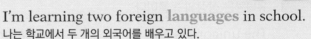

641 language
[læŋgwidʒ]

명 언어

first language 모국어

I'm learning two foreign **languages** in school.
나는 학교에서 두 개의 외국어를 배우고 있다.

---

642 native
[néitiv]

형 출생지의, 모국의 　명 (~에서) 태어난 사람, 원주민

one's **native** language 모국어

He is a **native** of England.
그는 영국 태생이다.

---

643 master
[mǽstər]

명 1. 대가, 달인 2. 주인 　동 숙달하다

a **master** of chess 체스의 달인

While staying in Paris, she **mastered** French.
파리에 머무는 동안, 그녀는 프랑스어를 완전히 익혔다.

---

644 letter
[létər]

명 1. 편지 2. 문자

write a **letter** 편지를 쓰다

You have to start with a capital **letter** when you
write names.
이름을 쓸 때 대문자로 시작해야 한다.

---

645 dialect
[dáiəlèkt]

명 사투리, 방언

a southern **dialect** 남부 사투리

She has lived in Seoul for a long time, but she
still speaks in **dialect**.
그녀는 서울에 오랫동안 살고 있지만, 여전히 사투리로 말한다.

646 translate
[trænsléit]

⟮동⟯ 번역하다, 해석하다 **translation** ⟮명⟯ 번역, 해석

translate English into Korean   영어를 한국어로 번역하다

Can you translate Korean into English?
당신은 한국어를 영어로 번역할 수 있나요?

---

647 sentence
[séntəns]

⟮명⟯ 1. 문장 2. 판결, 선고   ⟮동⟯ (형을) 선고하다

in one sentence   한 문장으로

The killer was sentenced to life in prison.
그 살인범은 종신형을 선고받았다.

---

648 paragraph
[pǽrəgrǽf]

⟮명⟯ 단락

the second paragraph   두 번째 단락

The last paragraph of the writing is confusing.
그 글의 마지막 단락은 혼란스럽다.

---

649 grammar
[grǽmər]

⟮명⟯ 문법

English grammar   영문법

The native speakers also need to study their grammar rules.
모국어 사용자들 또한 그들의 문법 규칙을 공부할 필요가 있다.

---

650 distinguish
[distíŋgwiʃ]

⟮동⟯ 구별하다

distinguish right from wrong   옳고 그름을 구별하다

She can distinguish British English from American English.
그녀는 영국 영어를 미국 영어와 구분할 수 있다.

651 **purpose**
[pə́ːrpəs]

명 목적, 의도

on **purpose** 고의로, 일부러

Her **purpose** in writing the book was to tell about victims of war.
그녀가 책을 쓰는 목적은 전쟁의 희생자들에 대해 알리는 것이었다.

652 **express**
[iksprés]

동 표현하다 명 급행열차 **expression** 명 표현, 표정

express one's feelings 감정을 표현하다

The **express** started from Busan on time.
급행열차는 정시에 부산에서 출발했다.

653 **difference**
[dífərəns]

명 차이, 다름 **different** 형 다른

difference between A and B A와 B의 차이

It shows cultural **differences** between the East and the West.
그것은 동양과 서양의 문화적 차이를 보여준다.

654 **standard**
[stǽndərd]

명 표준, 기준 형 표준의, 기준이 되는

the required **standard** 요구되는 기준

His performance was below **standard**.
그의 공연은 수준 이하였다.

655 **remark**
[rimáːrk]

명 발언, 말 동 말하다, 언급하다

a witty **remark** 재치 있는 발언

It is rude to **remark** on a person's appearance.
사람의 외모에 대해 말하는 것은 무례하다.

656 **barrier**
[bǽriər]

명 장벽, 장애물

a religious barrier 종교적 장벽

In spite of the language barrier, we became friends.
언어적 장벽에도 불구하고, 우리는 친구가 되었다.

657 **elementary**
[èləméntəri]

형 초보의, 초급의

elementary level 초급 수준

I will take the elementary Chinese course.
나는 초급 중국어 과정을 수강할 것이다.

658 **fluent**
[flú(ː)ənt]

형 유창한 fluency 명 유창함

a fluent English speaker 유창한 영어 구사자

She is fluent in both English and French.
그녀는 영어와 프랑스어를 둘 다 유창하게 구사한다.

659 **hesitate**
[hézitèit]

동 주저하다, 망설이다 hesitation 명 주저, 망설임

hesitate over the price 가격을 두고 망설이다

Don't hesitate to speak in English.
영어로 말하는 것을 주저하지 마라.

660 *literal*
[lítərəl]

형 문자 그대로의, 직역의 literally 부 문자 그대로

literal translation 직역

A trade war is not a war in the literal sense.
무역 전쟁은 문자 그대로의 전쟁은 아니다.

A 영어는 우리말로, 우리말은 영어로 바꾸세요.

1	paragraph		11	대가, 달인	
2	dialect		12	유창한	
3	distinguish		13	출생지의, 원주민	
4	elementary		14	번역하다	
5	grammar		15	문자 그대로의	
6	letter		16	발언, 말	
7	barrier		17	문장, 선고하다	
8	language		18	표준, 기준	
9	purpose		19	표현하다	
10	difference		20	주저하다	

B 주어진 우리말을 참고하여 어구를 완성하세요.

1 고의로, 일부러   on _____

2 남부 사투리   a southern _____

3 요구되는 기준   the required _____

4 유창한 영어 구사자   a(n) _____ English speaker

5 옳고 그름을 구별하다   _____ right from wrong

C 우리말에 맞게 빈칸을 채워 문장을 완성하세요.

1 그는 3개 외국어를 말할 수 있다.

He can speak three foreign _____.

2 그녀는 그의 무례한 발언들에 화가 났다.

She got angry at his rude _____.

3 그는 짧은 말로 감사를 표현했다.

He _____ his gratitude in a short speech.

4 그들은 모국인 한국에서 호주로 이사했다.

They moved from their _____ Korea to Australia.

5 당신의 인생을 한 문장으로 묘사할 수 있나요?

Can you describe your life in one _____?

D 빈칸에 알맞은 단어를 골라 쓰세요. (필요하면 형태를 바꾸세요.)

barrier	master	translate	hesitate

1 He is a _____ at making funny cartoons.

2 Can you _____ this sentence into English?

3 She _____ when she heard how much the bag was.

4 A tree fell across the road and made a _____ to traffic.

DAY 34

문학과 예술
음악/미술

661 performance
[pərfɔ́:rməns]

명 공연　**perform** 동 수행하다, 공연하다

an evening **performance**　저녁 공연

The pianist was very nervous at his first **performance**.
그 피아니스트는 그의 첫 번째 공연에서 매우 긴장했다.

662 choir
[kwáiər]

명 합창단

a church **choir**　성가대

When I was a student, I sang in the school **choir**.
학교 다닐 때, 나는 학교 합창단에서 노래를 불렀다.

663 compose
[kəmpóuz]

동 1. 구성하다 2. 작곡하다　**composition** 명 구성, 작곡

be **composed** of　~로 구성되어 있다

The composer took a day to **compose** the song.
그 작곡가는 하루 걸려 그 노래를 작곡했다.

664 creative
[kriéitiv]

형 창의적인, 독창적인　**create** 동 창조하다

a **creative** artist　창의적인 예술가

Musicians need **creative** thinking.
음악가들에게는 창의적인 사고가 필요하다.

665 exhibit
[igzíbit]

동 전시하다　**exhibition** 명 전시(회)

exhibit paintings　그림을 전시하다

The gallery **exhibited** some interesting things.
그 미술관은 몇 가지 흥미로운 것들을 전시했다.

666 instrument
[ínstrəmənt]

명 1. **기구** 2. **악기**

a musical instrument   악기

Can you play any musical instrument?
너는 악기를 연주할 줄 아니?

667 audience
[ɔ́:diəns]

명 **청중, 관객**

a TV audience   TV 시청자

The entire audience stood up after the musical.
뮤지컬이 끝난 후, 모든 청중이 일어섰다.

668 conduct
[kəndʌ́kt]

동 1. **수행하다** 2. **지휘하다**   conductor 명 지휘자

conduct a study   연구를 수행하다

The orchestra was conducted by
a Russian conductor.
그 관현악단은 러시아 지휘자에 의해 지휘되었다.

669 artwork
[ɑ́:rtwə̀:rk]

명 **예술 작품**

display one's artwork   작품을 전시하다

The painter will display his artworks at the train
station.
그 화가는 기차역에 자신의 작품들을 전시할 것이다.

670 gallery
[gǽləri]

명 **미술관**

an art gallery   미술품 전시관

Her works are on display in the local art gallery.
그녀의 작품들이 지역 미술관에서 전시 중이다.

671 masterpiece
[mǽstərpìːs]

명 걸작, 명작

appreciate a **masterpiece**   명작을 감상하다

This work is the greatest **masterpiece** of the century.
이 작품은 금세기 최고의 걸작이다.

672 sculpture
[skʌ́lptʃər]

명 조각, 조각품   **sculptor** 명 조각가

a marble **sculpture**   대리석 조각

They made this amazing piece of **sculpture**.
그들이 이 놀라운 조각품을 만들었다.

673 technique
[tekníːk]

명 기법, 기술

with excellent **technique**   뛰어난 기술을 가진

Her drawing **technique** is very unique.
그녀의 화법은 매우 독특하다.

674 admire
[ədmáiər]

동 존경하다, 감탄하다   **admiration** 명 존경, 감탄

admire the view   경치에 감탄하다

He is **admired** as a professor of classical music.
그는 고전 음악 교수로서 존경받는다.

675 entertain
[èntərtéin]

동 즐겁게 하다   **entertainment** 명 연예, 오락

entertain the audience   청중을 즐겁게 하다

The DJ **entertained** people with a variety of pop music.
그 디제이는 다양한 대중음악으로 사람들을 즐겁게 했다.

676 complete
[kəmplíːt]

형 완전한 동 완성하다 completely 부 완전히

a complete change 완전한 변화

It took a long time to complete this work.
이 작품을 완성하는 데 오랜 시간이 걸렸다.

677 lyrics
[líriks]

명 노래 가사

write the lyrics 가사를 쓰다

The lyrics of this song are really beautiful.
이 노래의 가사는 정말 아름답다.

678 combination
[kàmbənéiʃən]

명 결합, 조합 combine 동 결합하다

a perfect combination 완벽한 조합, 환상의 어울림

Green and brown is the color combination for forests.
초록색과 갈색은 숲과 어울리는 색 조합이다.

679 appreciate
[əpríːʃièit]

동 1. 감사하다 2. 감상하다 appreciation 명 감사, 감상

appreciate foreign literature 외국 문학을 감상하다

The old woman appreciated the man's help.
노부인은 그 남자의 도움을 고맙게 여겼다.

680 precious
[préʃəs]

형 귀중한, 값비싼

a precious jewel 값비싼 보석

He enjoys collecting precious music records from the 20th century.
그는 20세기의 귀한 음반을 모으는 것을 즐긴다.

A 영어는 우리말로, 우리말은 영어로 바꾸세요.

1	complete		11 걸작, 명작	
2	audience		12 조각, 조각품	
3	admire		13 즐겁게 하다	
4	choir		14 노래 가사	
5	instrument		15 귀중한	
6	conduct		16 공연	
7	exhibit		17 예술 작품	
8	compose		18 결합, 조합	
9	technique		19 미술관	
10	appreciate		20 창의적인	

B 주어진 우리말을 참고하여 어구를 완성하세요.

1 악기　　　　　　a musical

2 창의적인 예술가　　a(n)　　　　　　artist

3 연구를 수행하다　　　　　　　　a study

4 완벽한 조합　　　a perfect

5 명작을 감상하다　　appreciate a(n)

C 우리말에 맞게 빈칸을 채워 문장을 완성하세요.

1 작품에 손대지 마시오.

   Don't touch the ....

2 그녀는 합창단에서 소프라노를 맡고 있다.

   She sings soprano in the ....

3 그녀는 시인이지만 가끔씩 가사를 쓴다.

   She is a poet, but sometime writes ....

4 축구팀은 11명의 선수로 구성된다.

   A soccer team is .... of eleven players.

5 그 마술사는 파티에서 아이들을 즐겁게 해 주었다.

   The magician .... the children at the party.

D 빈칸에 알맞은 단어를 골라 쓰세요. (필요하면 형태를 바꾸세요.)

| precious | admire | exhibit | performance |

1 He is .... as a gifted artist.

2 My children are very .... to me.

3 Many paintings are .... in the museum.

4 Our orchestra will give a(n) .... this month.

문학과 예술

책

---

681 fiction
[fíkʃən]

명 소설, 허구

a fiction writer 소설 작가

The bookstore has a section for science fiction.
그 서점은 공상 과학 소설을 위한 코너가 있다.

---

682 author
[ɔ́:θər]

명 저자, 작가

a best-selling author 베스트셀러 저자

The best seller was written by an unknown author.
그 베스트셀러는 무명 작가에 의해 쓰여졌다.

---

683 plot
[plɑt]

명 1.줄거리, 구성 2.음모 동 음모를 꾸미다

a plot to kill the king 왕을 죽이려는 음모

The plot of the book was difficult to follow.
그 책의 줄거리는 이해하기 어려웠다.

---

684 character
[kǽriktər]

명 1.성격, 특성 2.등장인물

characters in the play 연극의 등장인물들

I didn't like the main character in that book.
나는 그 책의 주인공이 마음에 들지 않았다.

---

685 publish
[pʌ́bliʃ]

동 출판하다, 발행하다 publication 명 출판

publish a newspaper 신문을 발행하다

His second novel will be published next month.
그의 두 번째 소설은 다음 달에 출간될 것이다.

---

686 **context**
[kántekst]

명 1. (글의) 문맥 2. (어떤 일의) 맥락, 정황

historical context 역사적 맥락

You can guess the word's meaning from its **context**.
너는 문맥을 통해 그 단어의 의미를 추측할 수 있다.

---

687 **criticize**
[krítisàiz]

동 비판하다, 비평하다 **criticism** 명 비판, 비평

criticize a poem 시를 비평하다

His novel was **criticized** for being too boring.
그의 소설은 너무 지루하다는 비판을 받았다.

---

688 **quote**
[kwout]

동 인용하다 **quotation** 명 인용(문)

quote a proverb 속담을 인용하다

He often **quotes** verses from the Bible.
그는 종종 성경 구절을 인용한다.

---

689 **illustrate**
[íləstrèit]

동 1. 삽화를 넣다 2. 설명하다 **illustration** 명 삽화

an illustrated book 삽화가 들어간 책

The doctor **illustrated** the theory with examples.
그 박사는 예를 들어가며 그 이론을 설명했다.

---

690 **copyright**
[kápiràit]

명 저작권

own a copyright 저작권을 갖고 있다

Who owns the **copyright** of this book?
누가 이 책의 저작권을 갖고 있나요?

691 copy
[kápi]

명 1.**사본** 2.(책 등의) 한 부 동 복사하다, 베끼다

a copy of a letter 편지의 사본

The magazine sold thousands of copies today.
그 잡지는 오늘 수천 부가 팔렸다.

692 volume
[válju:m]

명 1.**책, (책의) 권** 2.양, 부피 3.음량

the volume of traffic 교통량

The library is full of rare old volumes.
그 도서관은 진귀한 고서들로 가득차 있다.

693 theme
[θi:m]

명 주제, 테마

the theme of the novel 소설의 주제

She wrote many poems on the theme of love.
그녀는 사랑에 대한 주제로 많은 시를 썼다.

694 correct
[kərékt]

동 고치다 형 올바른, 정확한 correction 명 수정

correct answer 정답

Correct my writing if it's wrong.
제 글에 틀린 것이 있다면 고쳐 주세요.

695 content
[ká:ntent]

명 (-s) 내용물, 목차 형 [kəntént] 만족하는

the table of contents 목차

She was content with a fake diamond necklace.
그녀는 가짜 다이아몬드 목걸이에 만족했다.

696 edit
[édit]

동 편집하다, 교정하다　editor 명 편집자

edit a movie　영화를 편집하다

This essay needs to be edited.
이 수필은 편집될 필요가 있다.

697 intention
[inténʃən]

명 의도, 목적　intend 동 의도하다

good intentions　좋은 의도

What is the writer's intention?
작가의 의도는 무엇일까?

698 disappoint
[dìsəpɔ́int]

동 실망시키다　disappointment 명 실망

be disappointed with　~에 실망하다

The ending of the novel disappointed me.
그 소설의 결말이 나를 실망시켰다.

699 interpret
[intə́ːrprit]

동 1. 해석하다 2. 통역하다

interpret dreams　꿈을 해석하다

The secretary interpreted for her boss in Japan.
그 비서는 일본에서 사장님을 위해 통역했다.

700 highlight
[háilàit]

동 강조하다　명 가장 중요한 부분

highlight one's good points　장점을 강조하다

The highlight of the story is where he meets
his lost father again.
그 이야기의 하이라이트는 그가 잃어버린 아버지를 다시 만나는 부분이다.

A 영어는 우리말로, 우리말은 영어로 바꾸세요.

1	illustrate		11	고치다, 올바른
2	edit		12	출판하다
3	character		13	저자, 작가
4	highlight		14	문맥, 맥락
5	quote		15	소설, 허구
6	criticize		16	저작권
7	content		17	사본, 한 부
8	theme		18	줄거리, 음모
9	intention		19	책, 권
10	interpret		20	실망시키다

B 주어진 우리말을 참고하여 어구를 완성하세요.

1 정답 _____ answer

2 소설 작가 a(n) _____ writer

3 역사적 맥락 historical _____

4 꿈을 해석하다 _____ dreams

5 속담을 인용하다 _____ a proverb

C 우리말에 맞게 빈칸을 채워 문장을 완성하세요.

1 그는 부모님을 실망시키고 싶지 않았다.

He didn't want to .... his parents.

2 나는 이 책의 저자가 매우 창의적이라고 생각한다.

I think the .... of this book is very creative.

3 그의 새 책이 편집되고, 인쇄되어, 배포되었다.

His new book was .... , printed, and distributed.

4 나는 내 가방의 내용물들을 책상 위에 쏟았다.

I poured the .... of my backpack onto the desk.

5 그의 연설은 관계의 중요성을 강조했다.

His speech .... the importance of relationships.

D 빈칸에 알맞은 단어를 골라 쓰세요. (필요하면 형태를 바꾸세요.)

publish	plot	copyright	volume

1 Who owns the .... on the music?

2 The book will be .... in September.

3 Can you turn down the .... of the TV?

4 The .... of this story is very interesting.

001	**novel**	013	문맥, 맥락
002	**masterpiece**	014	고치다, 올바른
003	**expert**	015	상상의, 가공의
004	**ban**	016	존경하다, 감탄하다
005	**elementary**	017	소설, 허구
006	**theme**	018	흥미를 끌다, 호소하다
007	**dialect**	019	구성하다, 작곡하다
008	**edit**	020	저작권
009	**personal**	021	차이, 다름
010	**entertain**	022	신화, 미신
011	**fantasy**	023	실망시키다
012	**biography**	024	대가, 달인

025	**appreciate**	037	발언, 말
026	**poem**	038	고전의
027	**publish**	039	조각, 조각품
028	**tale**	040	역설, 풍자
029	**connection**	041	인용하다
030	**literal**	042	호기심 많은, 궁금한
031	**language**	043	소프트웨어
032	**plot**	044	수행하다, 지휘하다
033	**metaphor**	045	표준, 기준
034	**content**	046	저자, 작가
035	**barrier**	047	논평, 검토
036	**combination**	048	완전한, 완성하다

049	**native**	062	감정적인
050	**technique**	063	성격, 등장인물
051	**convenient**	064	접근, 접속
052	**purpose**	065	남다, 여전히 ~이다
053	**choir**	066	기구, 장치
054	**grammar**	067	연락, 접촉
055	**highlight**	068	기구, 악기
056	**distinguish**	069	(과학) 기술
057	**intention**	070	노래 가사
058	**paragraph**	071	전 세계적인
059	**precious**	072	사본, 복사하다
060	**essay**	073	혁명
061	**gallery**	074	청중, 관객

075	**advice**	088	문장, 선고하다
076	**creative**	089	휴대용의
077	**express**	090	주저하다, 망설이다
078	**artwork**	091	편지, 문자
079	**fluent**	092	아마도
080	**volume**	093	비판하다
081	**property**	094	효과, 영향, 결과
082	**performance**	095	전시하다
083	**advantage**	096	문학
084	**translate**	097	상, 상을 주다
085	**search**	098	해석하다, 통역하다
086	**illustrate**	099	장르, 종류
087	**delete**	100	가상의, 사실상의

문학과 예술

세계/문화

701 ancient
[éinʃənt]

형 고대의, 옛날의

ancient times   고대

Rice was first farmed in **ancient** China.
쌀은 고대 중국에서 처음 경작되었다.

702 religious
[rilídʒəs]

형 종교의   **religion** 명 종교

a **religious** leader   종교 지도자

The Catholic church has had strong **religious** influences over the European continent.
천주교는 유럽 대륙 전역에 강한 종교적 영향을 끼쳐왔다.

703 ceremony
[sérəmòuni]

명 의식, 식

a wedding **ceremony**   결혼식

The tea **ceremony** is a special way of serving tea in Japan.
다도는 일본의 차를 대접하는 특별한 방식이다.

704 tribe
[traib]

명 부족, 종족   **tribal** 형 부족의, 종족의

a **tribe** of Amazonian Indians   아마존 인디언의 한 부족

In this African **tribe**, women are superior to men.
이 아프리카 부족에서는, 여성이 남성보다 우위에 있다.

705 multicultural
[mʌ̀ltikʌ́ltʃərəl]

형 다문화의

a **multicultural** family   다문화 가정

We are living in a **multicultural** society.
우리는 다문화 사회에 살고 있다.

706 **traditional**
[trədíʃənəl]

형 전통의, 전통적인 **tradition** 명 전통

traditional music 전통 음악

Whenever I travel abroad, I eat the country's traditional food.
나는 해외여행을 할 때마다 그 나라의 전통 음식을 먹는다.

707 **custom**
[kʌ́stəm]

명 관습

an ancient custom 오래된 관습

The custom of decorating a Christmas tree became common.
크리스마스트리를 장식하는 관습은 흔한 것이 되었다.

708 **heritage**
[héritidʒ]

명 유산

cultural heritage 문화 유산

Angkor Wat in Cambodia is listed as World Heritage site.
캄보디아의 앙코르 와트는 세계 문화 유산으로 지정되어 있다.

709 **proverb**
[próvə:rb]

명 속담, 격언

quote a proverb 속담을 인용하다

Remember the common proverb: "Look before you leap."
'돌다리도 두드리고 건너라.'는 널리 알려진 속담을 기억해라.

710 **diversity**
[divə́:rsəti]

명 다양성 **diverse** 형 다양한

a diversity of opinions 다양한 의견

We have to respect religious diversity.
우리는 종교적 다양성을 존중해야만 한다.

711 **relate**
[riléit]

동 관련시키다 **relation** 명 관계

relate A with(to) B   A와 B를 관련 짓다

Language is closely **related** to culture.
언어는 문화와 밀접하게 관련되어 있다.

712 **noble**
[nóubl]

형 1.고귀한, 숭고한 2.귀족의

noble spirit   숭고한 정신

They are from **noble** families.
그들은 귀족 가문 출신이다.

713 **costume**
[kástʃuːm]

명 복장, 옷차림

a Halloween costume   핼러윈 데이 복장

Noble women's **costume** in the Renaissance was colorful.
르네상스 시대 귀족 여성들의 복장은 화려했다.

714 **discover**
[diskʌ́vər]

동 발견하다

discover new facts   새로운 사실들을 발견하다

America was **discovered** by Columbus.
아메리카는 콜럼버스에 의해 발견되었다.

715 **festival**
[féstəvəl]

명 축제, 잔치

a film festival   영화제

The Spanish hold a **festival** called La Tomatina every August.
스페인 사람들은 매년 8월에 '라 토마티나'라고 하는 축제를 연다.

716 **proper**
[prάpər]

[형] 적절한, 적당한　**properly** [형] 적절하게

proper greeting manners　적절한 인사 예절

He put things in their proper place.
그는 물건들을 적절한 위치에 놓았다.

717 **imitate**
[ímitèit]

[동] 모방하다, 흉내 내다　**imitation** [명] 모방, 모조품

imitate a monkey　원숭이를 흉내 내다

Some artists imitated her style of painting.
몇몇 화가들이 그녀의 화풍을 모방했다.

718 **civilization**
[sìvəlizéiʃən]

[명] 문명　**civilize** [동] 문명화하다

Chinese civilization　중국 문명

Many people enjoy the benefits of civilization.
많은 사람들이 문명의 혜택을 누리고 있다.

719 **cathedral**
[kəθíːdrəl]

[명] 대성당

old cathedrals　오래된 대성당들

In Europe, the old cathedrals are the major places to visit.
유럽에서는 옛 대성당들이 방문할 주요 장소이다.

720 **worship**
[wə́ːrʃip]

[명] 예배, 숭배　[동] 예배하다, 숭배하다

worship service　예배

They worship at this cathedral every Sunday.
그들은 일요일마다 이 대성당에서 예배를 한다.

A 영어는 우리말로, 우리말은 영어로 바꾸세요.

1	custom	11	발견하다
2	worship	12	유산
3	proper	13	관련시키다
4	ancient	14	부족, 종족
5	cathedral	15	종교의
6	noble	16	복장, 옷차림
7	multicultural	17	모방하다
8	festival	18	의식, 식
9	diversity	19	전통적인
10	civilization	20	속담, 격언

B 주어진 우리말을 참고하여 어구를 완성하세요.

1 예배 _____ service

2 전통 음악 _____ music

3 숭고한 정신 _____ spirit

4 오래된 대성당들 old _____

5 중국 문명 Chinese _____

C 우리말에 맞게 빈칸을 채워 문장을 완성하세요.

1 나는 근처에서 아주 좋은 호텔을 발견했다.

I _____ a very good hotel nearby.

2 우리는 우리의 문화 유산을 매우 자랑스러워 한다.

We are very proud of our cultural _____.

3 그 부족 전체는 흔적도 없이 사라졌다.

The entire _____ disappeared without a trace.

4 그 영화제는 다양한 사람들의 흥미를 끌었다.

The film _____ appealed to a variety of people.

5 나는 중국의 고대 역사에 관한 책을 읽고 있다.

I'm reading a book on the _____ history of China.

D 빈칸에 알맞은 단어를 골라 쓰세요.

imitate	proper	custom	ceremony

1 Children tend to _____ their parents.

2 There will be a graduation _____ at 10 a.m.

3 Giving presents at Christmas became a(n) _____.

4 That's not _____ behavior for students.

721 **at last**

마침내

At last, we arrived at our destination.
우리는 마침내 목적지에 도착했다.

722 **at least**

적어도

She plays the piano for **at least** 30 minutes every day.
그녀는 매일 적어도 30분 동안은 피아노를 친다.

723 **at once**

즉시, 당장

Do **at once** what you think is right.
옳다고 생각하는 일은 즉시 행하라.

724 **at a time**

한 번에

You should eat slowly and take one bite **at a time**.
천천히 먹고 한 번에 한 입씩 먹어야 한다.

725 **at that time**

그때, 그 당시에

Mary showed me her notebook **at that time**.
그때 Mary는 나에게 자신의 공책을 보여주었다.

726 **by mistake**

실수로

My sister turned off the computer by mistake.
내 여동생이 실수로 컴퓨터를 꺼버렸다.

727 **by accident**

우연히

I met him by accident on the street.
나는 우연히 길에서 그를 만났다.

728 **by oneself**

혼자

When I was 5 years old, I started to read books by myself.
내가 다섯 살 때, 혼자서 책을 읽기 시작했다.

729 **for a while**

잠시 동안

We talked for a while and exchanged our phone numbers.
우리는 잠시 동안 이야기를 나누다가 전화번호를 교환했다.

730 **for free**

공짜로, 무료로

You can borrow books from the library for free.
여러분은 도서관에서 무료로 책을 빌릴 수 있다.

731 for fun

재미로, 재미삼아

He started learning the guitar for fun.
그는 재미삼아 기타를 배우기 시작했다.

732 in addition to

~ 이외에, ~에 덧붙여

There are twelve letters to be sent in addition to this parcel.
이 소포 외에 부쳐야 할 편지가 12통 있다.

733 in general

일반적으로

In general, women live longer than men.
일반적으로, 여자들이 남자들보다 더 오래 산다.

734 in return

보답으로, 답례로

He gave me a book in return for my present.
그는 내 선물에 대한 보답으로 나에게 책 한 권을 주었다.

735 in harmony with

~와 조화를 이루어

She is playing in harmony with the orchestra.
그녀는 관현악단 조화를 이루어 연주하고 있다.

736 in relation to

~에 관해서

I have nothing to say in relation to his rude actions.
나는 그의 무례한 행동에 관해서는 할 말이 없다.

737 in need

어려움에 처한

She devoted her life to helping people in need.
그녀는 자신의 인생을 어려움에 처한 사람들을 돕는 데 바쳤다.

738 in trouble

곤경에 처한

He's always there whenever I am in trouble.
그는 내가 곤경에 처할 때마다 항상 그곳에 있다.

739 on one's way

~ 도중에

He heard a strange sound on his way back home.
그는 집에 돌아오는 길에 이상한 소리를 들었다.

740 on the other hand

반대로, 반면에

The movie was scary. On the other hand it was funny, too.
그 영화는 무섭기도 하고, 한편으로는 웃기기도 했다.

A 영어는 우리말로, 우리말은 영어로 바꾸세요.

1	at once		11	적어도	
2	by oneself		12	우연히	
3	in trouble		13	반대로, 반면에	
4	in relation to		14	마침내	
5	on one's way		15	보답으로	
6	in need		16	공짜로, 무료로	
7	at a time		17	실수로	
8	in addition to		18	재미로	
9	for a while		19	일반적으로	
10	at that time		20	~와 조화를 이루어	

B 밑줄 친 부분에 유의하여 다음 문장을 우리말로 옮기세요.

1 She was playing in harmony with the orchestra.

2 He started learning the guitar for fun.

3 She devoted her life to helping people in need.

4 He heard a strange sound on his way back home.

5 There are twelve letters to be sent in addition to this parcel.

C 우리말에 맞게 빈칸을 채워 문장을 완성하세요.

1 그는 즉시 돌아올 것이다.

He will be back ⎯⎯⎯⎯⎯⎯⎯⎯⎯⎯.

2 나는 이 일을 무보수로 하고 있다.

I'm doing this job ⎯⎯⎯⎯⎯⎯⎯⎯⎯⎯.

3 이 컴퓨터를 잠깐 써도 될까요?

May I use this computer ⎯⎯⎯⎯⎯⎯⎯⎯⎯⎯?

4 집집마다 텔레비전이 적어도 한 대가 있다.

Every house has ⎯⎯⎯⎯⎯⎯⎯⎯⎯⎯ one television.

5 나는 Bill의 자전거를 빌렸는데, 우연히 그것을 망가뜨렸다.

I borrowed Bill's bike, but I broke it ⎯⎯⎯⎯⎯⎯⎯⎯⎯⎯.

D 빈칸에 알맞은 전치사 표현을 골라 쓰세요.

by mistake	in general	in trouble	at that time

1 ⎯⎯⎯⎯⎯⎯⎯⎯⎯⎯, I was an elementary school student.

2 I took his bag instead of mine ⎯⎯⎯⎯⎯⎯⎯⎯⎯⎯.

3 ⎯⎯⎯⎯⎯⎯⎯⎯⎯⎯, men like women with straight hair.

4 I really appreciated your help when I was ⎯⎯⎯⎯⎯⎯⎯⎯⎯⎯.

741 **miss**
[mis]

동 1.놓치다 2.그리워하다

miss the bus　버스를 놓치다

We **miss** you very much.
우리는 당신을 매우 그리워한다.

742 **close**
[klouz]

동 닫다　형 [klous] 가까운

close the window　창문을 닫다

Our new house is **close** to the school.
우리가 새로 이사 간 집은 학교에 가깝다.

743 **play**
[plei]

동 1.놀다 2.경기하다 3.연주하다　명 연극

play with a ball　공을 가지고 놀다
play the piano　피아노를 연주하다

Our class will put on a **play** during the festival.
우리 반은 축제 기간 동안 연극을 상연할 것이다.

744 **bill**
[bil]

명 1.청구서, 계산서 2.지폐 3.법안

the telephone **bill**　전화 요금 고지서

He took out a ten-dollar **bill**
from his wallet.
그는 지갑에서 10달러짜리 지폐를 꺼냈다.

745 **direct**
[dirékt]

동 감독하다　형 직접적인

direct a movie　영화를 감독하다

This is a **direct** order from the President.
이것은 대통령으로부터의 직접적인 명령이다.

746 address
[ǽdres]

명 1. 주소 2. 연설

name and address 이름과 주소

He delivered an address for the audience.
그는 청중 앞에서 연설을 했다.

747 save
[seiv]

동 1. 구하다 2. 저축하다 3. 절약하다

save one's life ~의 목숨을 구하다
save money 돈을 모으다

That way you will be able to save time.
그렇게 해서 당신은 시간을 절약할 수 있을 것이다.

748 free
[fri:]

형 1. 자유로운, 한가한 2. 공짜의

feel free to 마음껏 ~하다

He gave me a free concert ticket.
그는 나에게 무료 콘서트 입장권을 주었다.

749 matter
[mǽtər]

명 문제 동 중요하다

an important matter 중요한 문제

It doesn't matter to me.
그것은 나에게 중요하지 않다.

750 well
[wel]

형 건강한 명 우물 부 잘

get well 건강해지다
dig a well 우물을 파다

My mother sings very well.
우리 엄마는 노래를 아주 잘 부르신다.

751 right
[rait]

형 1. **옳은** 2. **오른쪽의** 명 1. **오른쪽** 2. **권리**

the **right** answer　정답

Turn **right** at the next traffic light.
다음 번 신호등에서 우회전해라.

752 will
[wil]

명 1. **의지** 2. **유언**

a strong **will**　강한 의지

The old man left a **will** to his daughter.
그 노인은 자신의 딸에게 유언을 남겼다.

753 mind
[maind]

명 **마음** 동 **꺼리다, 신경 쓰다**

make up one's **mind**　마음먹다, 결심하다

I don't **mind** whether you leave or not.
당신이 떠나든 말든 저는 상관없어요.

754 fire
[fáiər]

명 **불** 동 **해고하다**

on **fire**　불이 난

Work hard if you don't want to get **fired**.
해고되지 않으려면 열심히 일해라.

755 state
[steit]

명 1. **국가, (미국의) 주** 2. **상태** 동 **말하다, 진술하다**

the **state** of California　캘리포니아 주
state one's opinion　자신의 의견을 진술하다

The rooms in this hotel are in a good **state**.
이 호텔의 객실은 상태가 좋다.

756 run
[rʌn]

동 1. 달리다 2. 운영하다

run very fast   아주 빨리 달리다

My father **runs** a small business.
우리 아빠는 작은 사업체를 운영하신다.

757 match
[mætʃ]

명 1. 시합 2. 성냥   동 어울리다

a tennis **match**   테니스 시합
light a **match**   성냥을 켜다

This coat **matches** your hat.
이 외투는 네 모자와 잘 어울린다.

758 treat
[triːt]

동 1. 다루다, 대하다 2. 치료하다   명 대접, 한턱내기

treat him like a child   그를 아이처럼 대하다
treat patients   환자를 치료하다

It's my **treat** this time.
이번에는 내가 한턱낼게.

759 yield
[jiːld]

동 1. 생산하다 2. 양보하다

yield fruits   열매를 생산하다

They will not **yield** an inch on that matter.
그들은 그 문제에 대해서 한 치도 양보하지 않을 것이다.

760 raise
[reiz]

동 1. 올리다 2. 모금하다 3. 기르다

raise one's hand   손을 들다
raise money for charity   자선 모금 운동을 하다

Raising children demands sacrifice and effort.
아이들을 기르는 것은 희생과 노력을 요구한다.

A 영어는 우리말로, 우리말은 영어로 바꾸세요.

1	save		11	닫다, 가까운
2	free		12	불, 해고하다
3	miss		13	시합, 어울리다
4	run		14	건강한, 우물
5	yield		15	놀다, 연극
6	raise		16	청구서, 지폐
7	right		17	문제, 중요하다
8	direct		18	주소, 연설
9	state		19	마음, 꺼리다
10	treat		20	의지, 유언

B 문장에서 밑줄 친 부분의 해석이 바른 것을 찾아 체크하세요.

1 Turn right at the next traffic light. ☐ 오른쪽의 ☐ 옳은

2 My father runs a small business. ☐ 달리다 ☐ 운영하다

3 The old man left a will to his daughter. ☐ 의지 ☐ 유언

4 That way you will be able to save time. ☐ 절약하다 ☐ 구하다

5 They will not yield an inch on that matter. ☐ 생산하다 ☐ 양보하다

C 우리말에 맞게 빈칸을 채워 문장을 완성하세요.

1 그녀는 직접적인 질문을 받았다.

She was asked a(n) .... question.

2 이름과 주소를 쓰세요.

Write down your name and ....

3 나의 부모님은 나를 아이처럼 다루신다.

My parents .... me like a child.

4 누가 너의 심리 상태를 이해하겠니?

Who would understand your .... of mind?

5 만약 그녀가 그 테니스 경기에서 진다면, 은퇴할 것이다.

If she loses the tennis .... , she will retire.

D 빈칸에 알맞은 단어를 골라 쓰세요.

raise	bill	mind	matter

1 Please change this .... into coins.

2 It's a .... of life and death.

3 If you have a question, just .... your hand.

4 I made up my .... not to join the club.

다의어 2

---

761 last
[læst]

형 1. 지난 2. 마지막의　동 지속되다

last summer　지난 여름
the last train　마지막 열차

The smell will not last long.
그 냄새는 오래 지속되지 않을 것이다.

---

762 company
[kʌ́mpəni]

명 1. 회사 2. 친구

a computer company　컴퓨터 회사

It's so important to keep good company.
좋은 친구를 사귀는 것은 매우 중요하다.

---

763 draw
[drɔː]

draw – drew – drawn

동 1. 그리다 2. 끌다

draw a picture　그림을 그리다

Three horses drew the cart.
세 마리의 말들이 그 수레를 끌었다.

---

764 plain
[plein]

형 1. 분명한 2. 소박한, 꾸밈 없는　명 평지, 평원

a plain fact　분명한 사실
a plain dress　소박한 드레스

There are a lot of animals in the African plains.
아프리카 평원에는 많은 동물들이 있다.

---

765 scale
[skeil]

명 1. 규모 2. 저울

a large scale　대규모

We need a kitchen scale to weigh the bread mix.
빵 반죽의 무게를 재려면 주방용 저울이 필요하다.

---

766 **term**
[təːrm]

명 1. **기간** 2. **용어**

in the long term　장기적으로 보아

Can you understand those technical terms?
너는 그 기술 용어들을 이해할 수 있니?

767 **apply**
[əplái]

동 1. **지원하다, 신청하다** 2. **적용되다**

apply for a job　일자리에 지원하다

These rules apply to all the students.
이 규칙들은 모든 학생들에게 적용된다.

768 **count**
[kaunt]

동 1. **세다** 2. **중요하다**

count up to 10　10까지 세다

It's the teamwork that counts in soccer.
축구에서 중요한 것은 팀워크이다.

769 **block**
[blɑk]

명 1. **(도로의) 블록, 구획** 2. **덩어리**　동 **막다, 방해하다**

go straight two blocks　두 블록 직진하다
a block of stone　돌 덩어리, 석재

You should block the sun by wearing a hat.
당신은 모자를 써서 햇볕을 차단해 주어야 합니다.

770 **figure**
[fíɡjər]

명 1. **수치, 숫자** 2. **인물** 3. **모습, 몸매**

sales figures　판매 수치
a key figure　주요 인물

Most people want to have a good figure.
대부분의 사람들은 좋은 몸매를 갖기 원한다.

---

771 rest
[rest]

명 1. 휴식 2. 나머지　동 쉬다

take a **rest**　휴식을 취하다
the **rest** of the cake　나머지 케이크

A man is **resting** under a tree.
한 남자가 나무 아래에서 쉬고 있다.

---

772 field
[fi:ld]

명 1. 들판 2. 경기장 3. 분야

a **field** of corn　옥수수 밭
a baseball **field**　야구장

He is famous in the **field** of art.
그는 예술 분야에서 유명하다.

---

773 hold
[hould]

hold–held–held

동 1. 잡다 2. 개최하다

hold **hands**　손을 잡다

We will **hold** our first concert this Friday.
우리는 이번 주 금요일에 우리의 첫 연주회를 열 것이다.

---

774 order
[ɔ́:rdər]

명 1. 순서 2. 명령 3. 주문　동 1. 명령하다 2. 주문하다

in alphabetical **order**　알파벳 순서로
take an **order**　주문을 받다

I **ordered** him to leave right now.
나는 그에게 당장 떠나라고 명령했다.

---

775 object
[ábdʒikt]

명 1. 물건 2. 목적, 목표　동 [əbdʒékt] 반대하다

a moving **object**　움직이는 물체
with the **object** of　~할 목적으로

Some people **object** to human cloning.
몇몇 사람들은 인간 복제에 반대한다.

---

776 certain
[sə́ːrtən]

형 1. 확신하는 2. 어떤

be certain about ~에 대해 확신하다

A certain person lent me 100,000 won.
어떤 사람이 나에게 10만 원을 빌려 주었다.

777 beat
[biːt]

beat-beat-beaten

동 1. 때리다, 두드리다 2. 이기다   명 1. 박동 2. 박자

beat at the door 문을 두드리다
heart beat 심장 박동

Our team beat them three to one.
우리 팀이 그들을 3대 1로 이겼다.

778 rare
[rɛər]

형 1. 드문 2. (고기가) 덜 익은   rarely 부 좀처럼 ~ 않다

a rare sight 진귀한 광경

Would you like your steak rare, medium, or well-done?
스테이크를 덜 구워 드릴까요, 중간 정도로 구울까요, 바짝 구워 드릴까요?

779 fortune
[fɔ́ːrtʃən]

명 1. 부, 재산 2. 행운   fortunate 형 운이 좋은

a large fortune 막대한 재산

I had the good fortune to stay in New York.
나는 운 좋게도 뉴욕에서 머물렀다.

780 excuse
[ikskjúːz]

동 1. 용서하다 2. 변명하다   명 [ikskjúːs] 변명

excuse a fault 잘못을 용서하다

He made an excuse about being late for school.
그는 학교에 지각한 것에 대해 변명했다.

A 영어는 우리말로, 우리말은 영어로 바꾸세요.

1	certain		11	때리다, 이기다	
2	excuse		12	들판, 분야	
3	term		13	그리다, 끌다	
4	hold		14	분명한, 평원	
5	apply		15	휴식, 나머지	
6	rare		16	회사, 친구	
7	order		17	숫자, 인물	
8	block		18	부, 행운	
9	object		19	규모, 저울	
10	last		20	세다, 중요하다	

B 문장에서 밑줄 친 부분의 해석이 바른 것을 찾아 체크하세요.

1 Three horses <u>drew</u> the cart. ☐ 그리다 ☐ 끌다

2 He is famous in the <u>field</u> of art. ☐ 경기장 ☐ 분야

3 I <u>ordered</u> him to leave right now. ☐ 명령하다 ☐ 주문하다

4 I'm <u>certain</u> that I will pass the test. ☐ 확신하는 ☐ 어떤

5 After graduation, I will <u>apply</u> for a job. ☐ 적용되다 ☐ 지원하다

우리말에 맞게 빈칸을 채워 문장을 완성하세요.

1 그는 컴퓨터 회사에 근무한다.

He works for a computer ....

2 그 평원은 넓고 메마르다.

The .... are wide and dry.

3 이번 경기에서 우리가 너희를 이길 것이다.

We will .... you in this game.

4 나는 어둠 속에서 움직이는 물체를 보았다.

I saw a moving .... in the dark.

5 실제 수치가 우리가 예상했던 것보다 높았다.

The real .... was higher than we expected.

D 빈칸에 알맞은 단어를 골라 쓰세요. (필요하면 형태를 바꾸세요.)

rest	last	field	hold

1 We have to catch the .... train.

2 They are taking a walk together in the ....

3 She was .... a phone in her left hand.

4 What are you going to do with the .... of the money?

| 781 | **race**
[reis] | 명 1.경주 2.인종

a car **race**   자동차 경주

Some of my friends are of mixed **race**.
내 친구들 중 몇 명은 혼혈 인종이다. |

| 782 | **fair**
[fɛər] | 형 1.공정한 2.적절한   명 박람회

a **fair** chance   공정한 기회
a **fair** price   적절한 가격

I will go to a world trade **fair** this weekend.
나는 이번 주말에 세계 무역 박람회에 갈 것이다. |

| 783 | **safe**
[seif] | 형 안전한   명 금고

a **safe** place   안전한 장소

It is **safe** to keep the valuables in the **safe**.
귀중품은 금고에 보관하는 것이 안전하다. |

| 784 | **wonder**
[wʌ́ndər] | 동 1.궁금하다 2.놀라다   명 경이, 놀라움

wonder if it will snow tomorrow   내일 눈이 올지 궁금해 하다
wonder at the scene   그 장면에 놀라다

His eyes were wide with **wonder**.
그의 눈이 놀라서 휘둥그래졌다. |

| 785 | **reason**
[ríːzən] | 명 1.이유 2.이성

for some **reason**   어떤 이유에서인지

I have a friend who loses his **reason** when he is angry.
나는 화가 날 때 이성을 잃는 친구가 있다. |

786 **suit**
[sjuːt]

명 1.정장 2.소송 동 어울리다 **suitable** 형 적당한

wear a business suit   정장을 입다
a divorce suit   이혼 소송

The blue jacket suits you well.
그 파란 재킷은 너에게 잘 어울린다.

787 **account**
[əkáunt]

명 1.계좌 2.설명 동 설명하다

a bank account   은행 계좌
give an account of   ~에 대해 설명하다

She could not account for the missing funds.
그녀는 없어진 자금에 대해 설명할 수 없었다.

788 **press**
[pres]

동 누르다 명 언론 **pressure** 명 압박, 압력

press a button   버튼을 누르다

The politician called a press conference.
그 정치인이 기자 회견을 요청했다.

789 **charge**
[tʃɑːrdʒ]

명 1.요금 2.책임 동 청구하다

free of charge   무료로
in charge of   ~을 책임지고, ~을 담당하여

This store charges $20 for a backpack.
이 가게는 배낭 하나에 20달러를 청구한다(20달러에 판다).

790 **even**
[íːvən]

형 평평한 부 ~조차

an even surface   평평한 표면

She likes to wear shorts even in winter.
그녀는 겨울에조차 반바지 입는 것을 좋아한다.

791 lay
[lei]

lay-laid-laid

동 1. 놓다, 눕히다 2. (알을) 낳다

lay books on the table   탁자 위에 책을 놓다

The bird **laid** three eggs.
그 새는 세 개의 알을 낳았다.

792 industry
[índəstri]

명 1. 산업 2. 근면, 부지런함   **industrial** 형 산업의

clothing **industry**   의류 산업

His success resulted from his **industry**.
그의 성공은 근면함의 결과였다.

793 bark
[bark]

동 짖다   명 나무껍질

bark at strangers   낯선 사람에게 짖다

The **bark** of a tree can be used for home decoration.
나무껍질은 실내 장식에 사용될 수 있다.

794 deal
[diːl]

deal-dealt-dealt

동 다루다, 처리하다   명 거래

deal with a problem   문제를 처리하다

I've gotten special **deals** with this store for ten years.
나는 10년 동안 이 가게와 거래하고 있다.

795 pupil
[pjúːpəl]

명 1. 학생 2. 동공

a third-grade **pupil**   3학년 학생

The **pupils** of the cat's eyes look like crystals.
그 고양이 눈의 동공은 수정같이 생겼다.

796 rate
[reit]

명 1.비율 2.속도 3.요금

a birth rate 출생률
at a rapid rate 빠른 속도로

What's the rate for a single room for one night?
1인실 1박 요금이 얼마입니까?

797 represent
[rèprizént]

동 1.대표하다 2.나타내다 representative 명 대표자

represent one's country 조국을 대표하다, 국가대표로 나가다

The color red generally represents danger.
빨간색은 일반적으로 위험을 나타낸다.

798 branch
[brænʧ]

명 1.나뭇가지 2.지사, 지점

break off the branches 나뭇가지를 꺾다

The store opened a branch in Ulsan.
그 가게는 울산에 지점을 열었다.

799 board
[bɔːrd]

명 1.게시판 2.널빤지, 판자 동 탑승하다

a bulletin board 게시판
a diving board 다이빙대

Passengers are waiting to board.
승객들이 탑승을 기다리고 있다.

800 level
[lévəl]

명 1.수준, 정도 2.높이

a high level of crime 높은 수준의 범죄율

Mark the level of water in the bottle.
병 속 물의 높이를 표시해라.

A 영어는 우리말로, 우리말은 영어로 바꾸세요.

1	deal		11	계좌, 설명	
2	charge		12	학생, 동공	
3	branch		13	안전한, 금고	
4	suit		14	산업, 근면	
5	bark		15	이유, 이성	
6	even		16	누르다, 언론	
7	wonder		17	비율, 속도	
8	fair		18	수준, 높이	
9	board		19	놓다, 낳다	
10	represent		20	경주, 인종	

B 문장에서 밑줄 친 부분의 해석이 바른 것을 찾아 체크하세요.

1 The store opened a <u>branch</u> in Ulsan. ☐ 지점 ☐ 나뭇가지

2 Mark the <u>level</u> of water in the bottle. ☐ 수준 ☐ 높이

3 His success resulted from his <u>industry</u>. ☐ 산업 ☐ 근면

4 Some of my friends are of mixed <u>race</u>. ☐ 경주 ☐ 인종

5 The color red generally <u>represents</u> danger. ☐ 대표하다 ☐ 나타내다

우리말에 맞게 빈칸을 채워 문장을 완성하세요.

1 그는 항상 공정한 결정을 내린다.

He always makes a(n) _____ decision.

2 그녀는 그 은행에 계좌가 있다.

She has a(n) _____ with the bank.

3 나는 게시판에서 그 안내문을 보았다.

I saw the notice on the _____ .

4 나는 그 소문이 사실인지 궁금하다.

I _____ if the rumor is true.

5 안전한 장소를 찾아서 당분간 숨어 있어라.

Find a(n) _____ place and hide for a while.

빈칸에 알맞은 단어를 골라 쓰세요. (필요하면 형태를 바꾸세요.)

press	bark	charge	reason

1 The dog always _____ at me.

2 _____ the button to start the machine.

3 I'm not hungry all day long for some _____ .

4 You can take the English course free of _____ .

001	**certain**	013	잡다, 개최하다
002	**wonder**	014	식, 의식
003	**board**	015	그리다, 끌다
004	**rest**	016	관습
005	**beat**	017	경주, 인종
006	**treat**	018	지원하다, 적용되다
007	**proper**	019	옳은, 오른쪽의
008	**company**	020	고대의, 옛날의
009	**excuse**	021	주소, 연설
010	**fair**	022	분명한, 평원
011	**yield**	023	부족, 종족
012	**at least**	024	문제, 중요하다

025	**mind**		037	청구서, 지폐
026	**even**		038	불, 해고하다
027	**rare**		039	의지, 유언
028	**at once**		040	종교의
029	**worship**		041	들판, 분야
030	**play**		042	속담, 격언
031	**close**		043	수준, 높이
032	**state**		044	부, 행운
033	**raise**		045	숫자, 인물
034	**traditional**		046	다양성
035	**in addition to**		047	놓다, 낳다
036	**at that time**		048	감독하다, 직접적인

049	**save**	062	공짜로, 무료로
050	**at last**	063	모방하다
051	**at least**	064	놓치다, 그리워하다
052	**relate**	065	발견하다
053	**free**	066	건강한, 우물, 잘
054	**noble**	067	기간, 용어
055	**run**	068	다문화의
056	**on one's way**	069	일반적으로
057	**by mistake**	070	순서, 명령, 주문
058	**in need**	071	정장, 어울리다
059	**block**	072	유산
060	**for a while**	073	물건, 반대하다
061	**safe**	074	대표하다, 나타내다

075	match		088	문명
076	costume		089	재미로, 재미삼아
077	in return		090	학생, 동공
078	by oneself		091	축제, 잔치
079	cathedral		092	계좌, 설명
080	last		093	다루다, 거래
081	bark		094	나뭇가지, 지점
082	at a time		095	이유, 이성
083	press		096	규모, 저울
084	in relation to		097	비율, 속도, 요금
085	by accident		098	요금, 청구하다
086	in harmony with		099	세다, 중요하다
087	on the other hand		100	산업, 근면

중3 교과서
대표 영단어
800

정답과 해설

DAILY TEST

pp. 10~11

A

1	비슷한	11	familiar
2	염색하다	12	skinny
3	날씬한	13	attractive
4	인상, 감명	14	appearance
5	콧수염	15	wrinkle
6	금발의	16	curly
7	사랑스러운	17	shape
8	알아보다	18	wig
9	묘사하다	19	overweight
10	배, 복부	20	normal

B

1 mustache
2 wig
3 skinny
4 describe
5 normal

C

1 familiar
2 slender
3 impression
4 recognize
5 similar

D

1 shape
2 dye
3 overweight
4 appearance

해석

1 그 케이크는 별 모양이다.
2 우리 할머니는 머리를 검게 염색하실 것이다.
3 그는 과체중이다. 그는 살을 좀 빼야 한다.
4 나는 파티에서 그의 갑작스런 등장에 놀랐다.

DAILY TEST

pp. 16~17

A

1	특이한	11	attitude
2	열심히 일하는	12	courage
3	열정적인	13	talented
4	자신감 있는	14	arrogant
5	걱정하는, 열망하는	15	prefer
6	짜증나게 하는	16	personality
7	시간을 엄수하는	17	greedy
8	재치 있는	18	boastful
9	현실적인	19	genius
10	연약한, 섬세한	20	positive

B

1 arrogant
2 unusual
3 punctual
4 talented
5 genius

C

1 prefer
2 positive
3 anxious
4 personality
5 hardworking

D

1 boastful
2 courage
3 passionate
4 annoying

해석

1 그는 자신의 부를 뽐낸다.
2 나의 그녀에게 진실을 말할 용기가 없었다.
3 그녀는 록 음악에 대해 매우 열정적이다.
4 모기가 너무 짜증나게 해서 잠을 잘 수 없었다.

A

1	고통스러운	11	recover
2	치료, 요법	12	insurance
3	치료하다	13	surgery
4	붕대	14	mental
5	조직, 화장지	15	nutrition
6	약화시키다	16	addict
7	장애가 있는	17	disease
8	약, 의학	18	cancer
9	면역성이 있는	19	germ
10	치료, 대우	20	patient

B

1 tissue
2 painful
3 disabled
4 cure
5 immune

C

1 patients
2 bandage
3 medicine
4 nutrition
5 surgery

D

1 therapy
2 recover
3 mental
4 cancer

 해석

1 그 소녀는 방과 후에 미술 치료를 받는다.
2 나는 내 남동생이 병에서 회복되기를 바란다.
3 이 연극은 어린이들의 정신 발달을 위한 것이다.
4 그의 흡연 습관이 폐암의 원인이었다.

A

1	빤히 보다	11	rub
2	접근하다	12	yell
3	핥다	13	slip
4	속삭이다	14	bump
5	민감한	15	notice
6	짠맛의	16	rush
7	흘끗 보다	17	sense
8	구르다	18	wander
9	거친	19	pause
10	박수를 보내다	20	movement

B

1 notice
2 rough
3 lick
4 pause
5 bump

C

1 rubbed
2 whispered
3 rolled
4 yell
5 applauded

D

1 sensitive
2 sense
3 approaching
4 wander

해석

1 그녀는 추위에 아주 민감하다.
2 그는 유머 감각이 풍부하다.
3 우리가 떠나야 할 시간이 다가오고 있다.
4 우리는 밤에 도시 곳곳을 돌아다니는 것을 좋아한다.

DAY
05
DAILY TEST
pp. 34~35

DAY 01-05
1
주차
누적 TEST
pp. 36~39

A

1	고르다	11	submit
2	총명한	12	compete
3	학업의, 학문의	13	department
4	졸업하다	14	scholarship
5	구체적인	15	course
6	가르치다, 지시하다	16	passion
7	지나가다, 통과하다	17	degree
8	안 자고 깨어 있다	18	semester
9	실용적인	19	education
10	주요한, 전공	20	entrance

B

1 specific
2 entrance
3 education
4 compete
5 select

C

1 instructed
2 passed
3 degree
4 course
5 graduated

D

1 passion
2 practical
3 submitted
4 intelligent

해석

1 그는 정말로 자신의 일에 열정을 가지고 있다.
2 이 사이트는 실용적인 정보로 가득하다.
3 모든 학생들이 자신들의 보고서를 어제 제출했다.
4 돌고래는 가장 똑똑한 동물들 중 하나이다.

p. 36

001	익숙한	013	graduate
002	질병	014	courage
003	정상의	015	cancer
004	빤히 보다	016	patient
005	성격, 개성	017	dye
006	회복하다	018	approach
007	미끄러지다	019	appearance
008	총명한	020	positive
009	중독시키다	021	lick
010	강의, 과정	022	boastful
011	알아보다	023	nutrition
012	고르다	024	describe

p. 37

025	특이한	037	whisper
026	소리치다	038	insurance
027	열정	039	arrogant
028	거친	040	sense
029	비슷한	041	academic
030	현실적인	042	medicine
031	학위, 도, 정도	043	applaud
032	재능 있는	044	prefer
033	부딪치다	045	greedy
034	날씬한	046	wrinkle
035	짠맛의	047	wander
036	배, 복부	048	genius

p. 38

049	모양, 몸매	062	wig
050	연약한, 섬세한	063	attitude
051	고통스러운	064	blonde
052	치료, 대우	065	confident
053	사랑스러운	066	mental
054	치료, 요법	067	roll
055	약화시키다	068	rub
056	인상, 감명	069	mustache
057	걱정하는, 열망하는	070	submit
058	치료하다	071	disabled
059	열정적인	072	entrance
060	조직	073	compete
061	돌진하다	074	surgery

p. 39

075	짜증나게 하는	088	immune
076	실용적인	089	pause
077	붕대	090	scholarship
078	민감한	091	curly
079	주요한, 전공	092	semester
080	깡마른	093	hardworking
081	흘끗 보다	094	germ
082	구체적인	095	department
083	움직임, 이동	096	attractive
084	재치 있는	097	punctual
085	주의, 주목	098	education
086	안 자고 깨어 있다	099	overweight
087	가르치다, 지시하다	100	pass

DAY 06 DAILY TEST
pp. 44~45

A

1	익사하다	11	rescue
2	~인 체하다	12	examine
3	기사	13	responsible
4	잠이 든	14	false
5	사고, 우연	15	sink
6	자살	16	wound
7	극심한	17	crash
8	명확한, 맑은	18	trouble
9	사건	19	interview
10	정확하게	20	suddenly

B

1 asleep
2 severe
3 interview
4 pretend
5 trouble

C

1 rescued
2 accident
3 drowned
4 suicide
5 examined

D

1 sink
2 responsible
3 wound
4 false

해석

1 배는 곧 가라앉기 시작했다.
2 너는 너의 행동에 책임을 져야 한다.
3 의사는 내 상처를 붕대로 감쌌다.
4 이 질문들이 참인지 거짓인지 대답하시오.

A

1	받아들이다	11	apology
2	논평, 의견	12	theory
3	쟁점, 문제	13	oppose
4	논쟁하다, 주장하다	14	attention
5	주장하다, 고집하다	15	knowledge
6	의견	16	topic
7	지지하다, 부양하다	17	debate
8	동의하지 않다	18	suggest
9	터무니없는	19	view
10	언급하다, 참조하다	20	communicate

B

1 knowledge
2 apology
3 attention
4 oppose
5 refer

C

1 theory
2 view
3 argued
4 topic
5 support

D

1 opinion
2 suggest
3 debate
4 communicate

해석

1 내 의견으로는, 그것은 시간 낭비다.
2 나는 네가 이 곳을 방문해야 한다고 제안한다.
3 그 교수는 학생들과 활발한 토론을 벌였다.
4 우리는 청각 장애인과 의사소통을 위해 수화를 한다.

A

1	성공하다	11	opportunity
2	상담원	12	worthwhile
3	면허, 면허증	13	reward
4	지위, 신분	14	manage
5	직원, 점원	15	labor
6	직업	16	retire
7	극복하다	17	salary
8	맞닥뜨리다	18	obtain
9	이루다	19	influence
10	전문적인, 직업의	20	international

B

1 professional
2 license
3 international
4 accomplish
5 encounter

C

1 salary
2 retired
3 manages
4 occupation
5 reward

D

1 succeed
2 influence
3 clerk
4 status

해석

1 열심히 일하면 성공할 것이다.
2 TV에서의 폭력적인 장면은 악영향을 끼친다.
3 나는 은행원으로 10년 동안 일해 왔다.
4 여성들의 사회적 지위는 꾸준히 향상되어 왔다.

A

1	(교통) 요금	11	station
2	비행, 항공편	12	crowded
3	배달하다	13	take off
4	돌아가다, 돌려주다	14	reserve
5	목적지	15	delay
6	도착	16	get on
7	승강장	17	regular
8	출발	18	transportation
9	~에서 내리다	19	land
10	안내원, 수행원	20	cancel

B

1 land
2 fares
3 delay
4 attendant
5 station

C

1 returned
2 destination
3 transportation
4 cancelled
5 arrival

D

1 crowded
2 delivered
3 reserve
4 regular

해석

1 그 거리는 사람들로 붐볐다.
2 그 소포는 오늘 아침에 배달되었다.
3 우리는 여섯 명이 앉을 자리를 예약할 필요가 있다.
4 규칙적으로 식사하는 것은 건강에 좋다.

A

1	판에 박힌 일	11	strict
2	꾸짖다	12	generation
3	없어서는 안 될	13	allowance
4	축하하다	14	proud
5	엉망인 상태	15	adopt
6	어린 시절	16	relative
7	기념일	17	funeral
8	바치다, 헌신하다	18	congratulation
9	가정, 가족	19	grocery
10	고아	20	take care of

B

1 relatives
2 grocery
3 routine
4 childhood
5 anniversary

C

1 strict
2 scolded
3 dedicated
4 proud
5 take care of

D

1 adopt
2 generations
3 essential
4 celebrate

해석

1 그 부부는 아이를 입양하기로 결정했다.
2 우리 가족은 3대가 산다.
3 규칙적인 운동은 건강한 삶에 필수적이다.
4 그들은 그의 생일을 축하하기 위해 성대한 파티를 열었다.

2주차 누적 TEST
pp. 70~73

p. 70

001	토론하다	013	destination
002	사고	014	fare
003	돌아가다, 돌려주다	015	strict
004	입양하다, 채택하다	016	drown
005	충돌하다, 추락하다	017	knowledge
006	얻다, 획득하다	018	international
007	기사	019	generation
008	반대하다	020	proud
009	~에 타다	021	communicate
010	제안하다	022	delay
011	도착	023	salary
012	논쟁하다, 주장하다	024	false

p. 71

025	화제, 주제	037	sink
026	상처, 부상	038	allowance
027	주장하다, 고집하다	039	flight
028	친척	040	theory
029	축하	041	manage
030	잠이 든	042	pretend
031	견해, 경치	043	regular
032	영향, 영향력	044	disagree
033	터무니없는	045	deliver
034	주의, 집중	046	labor
035	조사하다	047	platform
036	사건	048	retire

p. 72

049	극심한	062	reward
050	논평	063	suicide
051	취소하다	064	land
052	바치다, 헌신하다	065	encounter
053	언급하다, 참조하다	066	apology
054	가정, 가족	067	responsible
055	직원, 점원	068	succeed
056	구조하다	069	station
057	명확한, 맑은	070	interview
058	장례식	071	departure
059	직업	072	support
060	고아	073	get over
061	~에서 내리다	074	reserve

p. 73

075	받아들이다	088	attendant
076	지위, 신분	089	scold
077	의견	090	counselor
078	교통, 교통수단	091	anniversary
079	쟁점, 문제	092	license
080	없어서는 안 될	093	worthwhile
081	곤란, 곤경	094	grocery
082	전문적인, 직업의	095	crowded
083	정확하게	096	opportunity
084	축하하다, 기념하다	097	routine
085	돌보다	098	mess
086	이루다	099	suddenly
087	이룩하다	100	childhood

A

1	섞다	11	roast
2	요리, 요리법	12	steam
3	먹을 수 있는	13	flavor
4	물을 빼내다	14	raw
5	연회, 잔치	15	disgusting
6	조각, 얇게 썰다	16	salmon
7	식욕, 입맛	17	dough
8	갈다, 빻다	18	sticky
9	젓다	19	safety
10	재료, 성분	20	lettuce

B

1 grind
2 disgusting
3 feast
4 edible
5 stir

C

1 appetite
2 raw
3 roasted
4 ingredients
5 drains

D

1 sticky
2 safety
3 blend
4 cuisine

해석

1 덥고 후텁지근한 여름 날이었다.
2 안전을 위해 안전벨트를 착용해라.
3 그 영화는 로맨스와 코미디를 섞을 것이다.
4 이 식당은 오직 프랑스 요리만을 제공한다.

A

1	공급, 공급하다	11	trade
2	장비, 설비	12	handle
3	촉진하다, 홍보하다	13	cost
4	제공하다	14	consume
5	상품, 제품	15	sale
6	요구, 수요	16	export
7	수입하다	17	quality
8	소매상의, 소매	18	employ
9	이용할 수 있는	19	tax
10	개발하다	20	produce

B

1 retail
2 sale
3 tax
4 trade
5 demand

C

1 cost
2 develop
3 consumes
4 import
5 available

D

1 employ
2 equipment
3 provides
4 quality

해석

1 나는 다음 주 월요일에 새 비서를 고용할 것이다.
2 그는 스포츠 장비에 많은 돈을 쓴다.
3 그 식당은 모든 손님들에게 무료 케이크를 제공한다.
4 그 상품은 비싸긴 하지만, 품질은 정말 좋다.

A

1	투자하다	11	debt
2	(돈을) 벌다	12	rob
3	돌려 주다, 갚다	13	exchange
4	줄이다	14	profit
5	얻다, 늘리다	15	unfair
6	가치가 있는	16	lend
7	빌리다	17	expense
8	기록, 음반	18	budget
9	재정의, 금융의	19	credit card
10	화폐, 통화	20	average

B

1 gain
2 budget
3 financial
4 earn
5 borrow

C

1 debt
2 credit card
3 pay back
4 average
5 profit

D

1 reduce
2 currency
3 exchange
4 record

해석

1 운동은 당신의 스트레스를 줄이는 데 도움이 될 수 있다.
2 모든 나라는 그들만의 화폐 형태를 사용한다.
3 이 셔츠를 좀 더 큰 것으로 교환하고 싶어요.
4 당신의 모든 지출을 기록하려고 노력해라.

A

1	제공하다	11	display
2	재료, 물질	12	receive
3	구입하다	13	complain
4	만족	14	afford
5	환불	15	income
6	고객	16	luxury
7	할인	17	choice
8	(마음을) 끌다	18	receipt
9	쓰다, 보내다	19	advertisement
10	경제학	20	price tag

B

1 materials
2 economics
3 refund
4 receipt
5 price tag

C

1 choice
2 received
3 spends
4 purchase
5 attract

D

1 afford
2 luxury
3 incomes
4 displayed

해석

1 그는 새 차를 살 여유가 없다.
2 부자들은 그들의 돈 대부분을 사치품들에 사용한다.
3 소득이 높은 사람은 더 많은 세금을 내야 한다.
4 몇 가지 흥미로운 그림들이 미술관에 전시되어 있나.

A

1	여권	11	require
2	외국에, 외국으로	12	souvenir
3	모험	13	monument
4	보물	14	landscape
5	추천하다	15	experience
6	긴장을 풀다	16	moment
7	외국의	17	historic
8	탐험, 원정	18	baggage
9	도전적인	19	tough
10	수용하다	20	journey

B

1 treasure
2 moment
3 challenging
4 abroad
5 historic

C

1 recommend
2 souvenirs
3 requires
4 tough
5 passport

D

1 relax
2 experience
3 journey
4 accommodate

해석

1 너는 당분간 쉬어야 한다.
2 당신은 물건을 팔아 본 경험이 있나요?
3 그는 내일 호주로 긴 여행을 떠날 것이다.
4 이 게스트 하우스는 50명까지 수용할 수 있다.

p. 104

001	이익, 수익	013	complain
002	제공하다	014	debt
003	빼앗다, 훔치다	015	experience
004	상품, 제품	016	produce
005	요리, 요리법	017	passport
006	(마음)을 끌다	018	unfair
007	수입	019	invest
008	구입하다	020	raw
009	빌려 주다	021	trade
010	가루 반죽	022	refund
011	고객	023	salmon
012	비용, 지출	024	luxury

p. 105

025	순간, 잠시	037	historic
026	촉진하다, 홍보하다	038	equipment
027	굽다	039	discount
028	교환	040	journey
029	수하물	041	edible
030	역겨운	042	financial
031	여유가 되다	043	satisfaction
032	(돈을) 벌다	044	currency
033	처리하다	045	drain
034	연회, 잔치	046	import
035	요구, 수요	047	budget
036	안전	048	sticky

049	풍경, 경치	062	appetite
050	고용하다	063	quality
051	빻다, 갈다	064	stir
052	제공하다, 제안하다	065	display
053	받다	066	record
054	비용	067	flavor
055	탐험, 원정	068	borrow
056	증기, 찌다	069	economics
057	공급	070	retail
058	판매, 할인 판매	071	reduce
059	얻다	072	average
060	재료, 물질	073	tax
061	가치가 있는	074	adventure

075	상추	088	export
076	외국에, 외국으로	089	advertisement
077	조각, 얇게 썰다	090	treasure
078	소비하다	091	available
079	수용하다	092	souvenir
080	쓰다, 보내다	093	foreign
081	개발하다	094	require
082	긴장을 풀다, 쉬다	095	choice
083	섞다, 혼합하다	096	monument
084	돌려주다, 갚다	097	receipt
085	도전적인	098	recommend
086	재료, 성분	099	credit card
087	힘든, 강인한	100	price tag

DAY 16 DAILY TEST
pp. 112~113

A

1	상대, 적수	11	final
2	참가하다	12	concentrate
3	경고하다	13	sail
4	심판	14	cheer
5	경기장	15	outdoor
6	경쟁, 시합	16	teamwork
7	귀중한	17	extreme
8	경쟁 상대	18	sprain
9	열렬한	19	defeat
10	운동하다	20	relieve

B

1 outdoor
2 stadium
3 final
4 sprain
5 participate

C

1 competition
2 Referees
3 warned
4 rivals
5 concentrate

D

1 defeated
2 work out
3 relieve
4 enthusiastic

해석
1 그는 지난 경기에서 그의 경쟁자를 이겼다.
2 퇴근 후 그녀는 운동하러 체육관에 간다.
3 나는 두통을 덜기 위해 약을 좀 먹었다.
4 그 영화배우는 열렬한 환영을 받았다.

A

1	민주주의	11	citizen
2	미발달의	12	agreement
3	공무상의, 공무원	13	detail
4	지배하다, 통제하다	14	policy
5	정치, 정치학	15	government
6	허락하다	16	declare
7	시민의, 민간의	17	necessary
8	원리, 원칙	18	former
9	동일한, 평등한	19	ordinary
10	독립된	20	fundamental

B

1 principle
2 control
3 independent
4 undeveloped
5 detail

C

1 politics
2 citizen
3 policy
4 declare
5 necessary

D

1 equals
2 Democracy
3 allow
4 fundamental

해석

1 3 더하기 5는 8과 같다.
2 민주주의는 개인의 권리를 존중한다.
3 엄마는 내가 친구네 집에서 자는 것을 허락하지 않으셨다.
4 이 두 언어에는 근본적인 차이가 있다.

A

1	신원, 정체성	11	chase
2	체포하다	12	crime
3	(고통을) 겪다	13	violent
4	포함하다, 관련시키다	14	guilty
5	탈출하다	15	court
6	증거, 흔적	16	judge
7	안전, 안보	17	cruel
8	처벌하다	18	suspect
9	목격자, 목격하다	19	prisoner
10	무죄의, 순진한	20	release

B

1 identity
2 escape
3 innocent
4 crime
5 suffer

C

1 punished
2 witness
3 arrested
4 cruel
5 judge

D

1 involved
2 released
3 guilty
4 violent

해석

1 그들은 그 싸움에 관여되어 있었다.
2 새 한 마리가 새장에서 풀려났다.
3 그 도둑은 자신의 죄에 대해 죄책감을 느꼈다.
4 이 영화에는 폭력적인 장면이 많다.

DAY 19 DAILY TEST
pp. 130~131

A

1	해결하다, 정착하다	11	rural
2	영토	12	garage
3	지역, 지방	13	skyscraper
4	시골	14	construct
5	공공의, 대중의	15	owner
6	구역, 지대	16	downtown
7	이웃	17	capital
8	큰 거리, ~가	18	highway
9	지역의, 현지의	19	sidewalk
10	교외	20	resident

B

1 suburb
2 zone
3 sidewalk
4 region
5 neighbor

C

1 local
2 downtown
3 settle
4 construct
5 countryside

D

1 capital
2 public
3 skyscraper
4 Rural

해석
1 베이징은 중국의 수도이다.
2 공공장소에서는 조용히 해 주십시오.
3 그 회사는 서울에 고층 빌딩을 지을 계획이다.
4 시골 생활은 대개 도시 생활보다 더 평화롭다.

DAY 20 DAILY TEST
pp. 136~137

A

1	갈등, 충돌	11	resist
2	위협, 협박	12	cooperate
3	설립하다	13	domestic
4	이민 오다	14	relationship
5	(음식을) 제공하다	15	border
6	세계의	16	authority
7	정복하다	17	charity
8	통일	18	donate
9	평화로운	19	balance
10	상황	20	unite

B

1 border
2 serve
3 relationship
4 conquer
5 threat

C

1 global
2 donates
3 domestic
4 resisted
5 conflict

D

1 situation
2 charity
3 immigrate
4 balance

해석
1 그들은 지금 위험한 상황에 처해 있다.
2 그들은 성금을 마련하고자 자선 음악회를 열었다.
3 많은 사람들이 미국으로 이민 오고 싶어 한다.
4 일과 가정생활 사이에 균형을 유지하는 것은 쉽지 않다.

4 주차 누적 TEST
pp. 138~141

p. 138

001	협동하다	013	neighbor
002	귀중한	014	highway
003	선언하다, 신고하다	015	crime
004	집중하다	016	participate
005	인도, 보도	017	sail
006	필요한	018	arrest
007	폭력적인	019	ordinary
008	덜다, 완화하다	020	warn
009	석방하다	021	threat
010	갈등, 충돌	022	final
011	거주자	023	identity
012	이전의	024	witness

p. 139

025	지역, 지방	037	donate
026	큰 거리, ~가	038	countryside
027	(고통을) 겪다	039	punish
028	설립하다	040	outdoor
029	뒤쫓다	041	immigrate
030	시내에	042	owner
031	구역, 지대	043	teamwork
032	운동하다	044	public
033	시민의, 민간의	045	democracy
034	죄수	046	border
035	(음식을) 제공하다, 봉사하다	047	innocent
036	근본적인	048	government

p. 140

049	세계의	062	capital
050	의심하다	063	conquer
051	정책	064	construct
052	관계	065	equal
053	지역의, 현지의	066	control
054	원리, 원칙	067	referee
055	해결하다, 정착하다	068	unification
056	미발달의	069	evidence
057	교외	070	charity
058	권한, 권위	071	official
059	안전, 안보	072	detail
060	연합하다	073	politics
061	허락하다	074	balance

p. 141

075	시골의, 전원의	088	resist
076	상대, 적수	089	judge
077	유죄의	090	garage
078	영토	091	escape
079	경쟁, 시합	092	cheer
080	상황	093	independent
081	열렬한	094	peaceful
082	포함하다, 관련시키다	095	extreme
083	정기상	096	court
084	패배시키다, 이기다	097	citizen
085	합의, 협정	098	skyscraper
086	국내의, 가정의	099	sprain
087	경쟁 상대	100	cruel

A

1	열대 우림	11	tropical
2	조수, 조류	12	breed
3	포유동물	13	absorb
4	폭포	14	prey
5	해안, 해변	15	dense
6	생태계	16	climate
7	특별한	17	horizon
8	종	18	population
9	반사하다, 반영하다	19	glacier
10	늪, 습지	20	ocean

B

1 tropical
2 tide
3 dense
4 waterfall
5 horizon

C

1 species
2 particular
3 shore
4 climate
5 population

D

1 absorb
2 ecosystem
3 prey
4 mammals

해석

1 그 나무의 뿌리는 물을 많이 흡수할 수 있다.
2 이 호수는 놀랄 만큼 균형 잡힌 생태계를 가지고 있다.
3 쥐와 작은 새들은 올빼미가 가장 좋아하는 먹이이다.
4 어떤 사람들은 사자와 얼룩말 같은 대형 포유동물들을 사냥한다.

A

1	근원, 원천	11	powerful
2	화석	12	energy
3	차량, 탈 것	13	generate
4	원자력의	14	potential
5	계속하다	15	fuel
6	자원, 물자	16	transform
7	생산, 생산량	17	difficulty
8	석탄	18	gasoline
9	전기, 전력	19	waste
10	위기, 고비	20	benefit

B

1 resources
2 gasoline
3 fuel
4 vehicle
5 generate

C

1 benefit
2 coal
3 sources
4 fossil
5 energy

D

1 electricity
2 powerful
3 nuclear
4 production

해석

1 우리는 전력을 생산하는 새로운 방법이 필요하다.
2 미국은 세계에서 가장 영향력 있는 국가이다.
3 세계적으로 많은 원자력 발전소가 있다.
4 브라질에는 많은 사람들이 바이오 연료의 생산에 관여되어 있다.

A (DAY 23)

1	파괴하다	11	survive
2	기근, 굶주림	12	scream
3	온도, 기온	13	terrible
4	인공의, 인위적인	14	despair
5	살아 있는	15	damage
6	비참한, 불행한	16	avoid
7	재해, 재앙	17	poverty
8	태풍	18	forecast
9	지진	19	loss
10	폭풍, 폭풍우	20	flood

B

1 loss
2 scream
3 avoid
4 poverty
5 earthquake

C

1 typhoon
2 terrible
3 despair
4 famine
5 damage

D

1 disaster
2 destroyed
3 forecast
4 temperature

해석
1 그는 자연재해에서 살아남았다.
2 그 건물의 일부가 화재로 파괴되었다.
3 일기 예보에서 태풍이 오고 있다고 한다.
4 아프리카에서 기록된 최고 기온이 몇 도인가?

A (DAY 24)

1	재사용하다	11	polar
2	해결책, 해법	12	harmful
3	보존하다, 지키다	13	pollute
4	환경 친화적인	14	consider
5	재활용하다	15	volunteer
6	세제	16	emit
7	보호, 보존	17	concern
8	정화하다	18	melt
9	보호하다, 지키다	19	prevent
10	환경	20	poisonous

B

1 prevent
2 detergent
3 polar
4 purify
5 conservation

C

1 solution
2 recycle
3 poisonous
4 environment
5 concern

D

1 reuse
2 eco-friendly
3 emit
4 protect

해석
1 그녀는 항상 종이 가방을 재사용하려고 노력한다.
2 그들은 오직 친환경 상품만을 산다.
3 전기 자동차는 나쁜 매연을 내뿜지 않는다.
4 이 재킷은 비와 눈으로부터 당신을 보호할 수 있다.

DAY
25
DAILY TEST
pp. 170~171

DAY 21-25
5
주차
누적 TEST
pp. 172~175

A

1	빼다, 덜다	11	double
2	양, 수량	12	half
3	두 번	13	weigh
4	단 하나의	14	maximum
5	다양한	15	couple
6	수백의	16	whole
7	수천의	17	several
8	백만	18	a piece of
9	양, 총액	19	measure
10	수많은	20	scarce

B

1 half
2 maximum
3 million
4 couple
5 subtract

C

1 quantity
2 whole
3 various
4 scarce
5 measure

D

1 weigh
2 twice
3 several
4 amount

해석

1 그는 상자의 무게를 재기 위해 저울을 사용했다.
2 우리는 할머니 댁을 한 달에 두 번 방문한다.
3 그 회의는 몇몇 나라들에서 개최되어 왔다.
4 그들은 컴퓨터 안에 많은 양의 정보를 보유하고 있다.

---

p. 172

001	전체의	013	source
002	다양한	014	rainforest
003	끔찍한, 심한	015	storm
004	먹이, 사냥감	016	absorb
005	피해, 손해	017	nuclear
006	내뿜다	018	climate
007	비명을 지르다	019	survive
008	밀집한, 빽빽한	020	mammal
009	계속하다	021	transform
010	한 쌍, 두 개, 부부	022	destroy
011	어려움, 곤경	023	melt
012	환경	024	volunteer

p. 173

025	재사용하다	037	single
026	양, 수량	038	fossil
027	자원	039	flood
028	극지방의	040	several
029	폭포	041	avoid
030	차량, 탈 것	042	glacier
031	걱정, 근심	043	earthquake
032	이득, 혜택	044	fuel
033	조수, 조류	045	measure
034	생산	046	a piece of
035	절망, 사보사기	047	twice
036	휘발유, 가솔린	048	horizon

p. 174

049	특별한	062	waste
050	양, 총액	063	temperature
051	강력한	064	energy
052	부족한, 드문	065	population
053	보존하다, 지키다	066	detergent
054	종	067	poisonous
055	재활용하다	068	ecosystem
056	해안, 해변	069	alive
057	손실, 손해	070	disaster
058	반사하다, 반영하다	071	consider
059	인공의, 인위적인	072	pollute
060	보호하다, 지키다	073	weigh
061	빼다, 덜다	074	potential

p. 175

075	위기, 고비	088	coal
076	발생시키다	089	half
077	가난, 빈곤	090	million
078	해결책, 해법	091	electricity
079	대양, 바다	092	breed
080	해로운	093	double
081	예방하다, 막다	094	maximum
082	수많은	095	swamp
083	열대의	096	typhoon
084	비참한, 불행한	097	famine
085	예측하다	098	purify
086	보호, 보존	099	thousands of
087	수백의	100	eco-friendly

DAY 26 DAILY TEST
pp. 180~181

A

1	전체의	11	increase
2	짝, 한 쌍	12	triple
3	곱하다	13	odd
4	나누다	14	plenty
5	더하다	15	sum
6	다수의, 많은	16	decrease
7	세 번째의	17	dozens of
8	비교하다	18	mass
9	부족, 결핍	19	extra
10	계산하다	20	countless

B

1 mass
2 triple
3 add
4 extra
5 calculate

C

1 multiple
2 third
3 decrease
4 sum
5 divide

D

1 plenty
2 shortage
3 entire
4 increased

해석
1 중국은 풍부한 자원을 가지고 있다.
2 식량 부족이 우리를 곤경에 빠뜨릴 것이다.
3 그 상사는 전체 직원을 그의 사무실로 불렀다.
4 경찰관의 수가 십 퍼센트 증가했다.

A

1	10년	11	minute
2	때때로	12	second
3	십대의	13	noon
4	언제든지	14	midnight
5	요즘에는	15	century
6	즉시, 곧	16	period
7	자주, 종종	17	quarter
8	좀처럼 ~ 않는	18	someday
9	끊임없이	19	prior
10	최근의	20	later

B

1 centuries
2 midnight
3 recent
4 frequently
5 prior

C

1 teenage
2 minutes
3 constantly
4 rarely
5 immediately

D

1 later
2 decades
3 noon
4 Sometimes

해석

1 조만간 상황이 호전될 것이다.
2 그 도시는 최근 수십 년 동안 많이 변해왔다.
3 내 이웃은 매일 정오에 피아노 연주를 한다.
4 때때로 이상한 일들이 이 집에서 일어난다.

A

1	앞으로	11	across
2	내부의, 안쪽의	12	backwards
3	떨어져, 따로	13	western
4	어딘가에	14	edge
5	~의 도처에, ~동안 내내	15	direction
6	북쪽의	16	eastern
7	남쪽의	17	remote
8	외부의, 바깥쪽의	18	opposite
9	장소, 위치	19	underneath
10	위쪽으로	20	toward

B

1 forward
2 underneath
3 opposite
4 location
5 southern

C

1 backwards
2 across
3 apart
4 northern
5 throughout

D

1 direction
2 somewhere
3 remote
4 inner

해석

1 쥐들이 사방으로 도망쳤다.
2 내 신분증이 여기 어딘가에 분명히 있을 것이다.
3 그들은 외딴 시골구석에서 살기를 원했다.
4 그 책은 작가의 내적 갈등을 보여 준다.

A

1	생물학	11	evaporate
2	실험실	12	lecture
3	물리학	13	failure
4	연구, 조사	14	observe
5	화학	15	prove
6	헛된, 헛수고의	16	progress
7	방법, 수단	17	achieve
8	전진, 진보	18	result
9	실험, 실험하다	19	clone
10	생각해내다, 떠올리다	20	solid

B

1 result
2 clone
3 research
4 solid
5 experiment

C

1 progress
2 lecture
3 failure
4 physics
5 method

D

1 vain
2 achieved
3 biology
4 laboratory

해석
1 그의 모든 노력과 시도는 허사가 되었다.
2 그 과학자는 마침내 목표를 달성했다.
3 그녀는 다음 학기에 생물학 수업을 들을 것이다.
4 나는 실험용 동물을 이용하는 실험에 반대한다.

A

1	은하, 은하계	11	explore
2	행성	12	satellite
3	우주, 공간	13	continent
4	끝없는, 무한한	14	expect
5	지구, 지구본	15	finally
6	태양의	16	surround
7	우주	17	orbit
8	중력	18	surface
9	우주선	19	atmosphere
10	산소	20	detect

B

1 oxygen
2 spacecraft
3 solar
4 gravity
5 continent

C

1 orbit
2 surrounded
3 planet
4 galaxy
5 surface

D

1 satellite
2 globe
3 detect
4 atmosphere

해석
1 달은 지구의 유일한 천연 위성이다.
2 그 회사는 다양한 상품을 전 세계로 수출한다.
3 두 행성간의 차이점을 발견하기는 어렵지 않다.
4 지구의 대기는 질소, 산소, 그리고 이산화탄소로 이루어져 있다.

001	연구, 조사	013	decade
002	기간, 시기	014	result
003	달성하다	015	experiment
004	많음, 풍부	016	oxygen
005	방법	017	sum
006	방향	018	divide
007	전체의	019	explore
008	행성	020	eastern
009	진정, 진행되다	021	failure
010	최근의	022	edge
011	대기, 분위기	023	solar
012	때때로	024	pair

025	세 배의	037	multiply
026	이전의	038	third
027	외딴, 먼	039	surface
028	다수의, 많은	040	satellite
029	고체, 단단한	041	add
030	앞으로	042	clone
031	반대의, 맞은편의	043	odd
032	우주, 공간	044	laboratory
033	언제든지	045	teenage
034	뒤쪽으로, 거꾸로	046	endless
035	지구, 지구본	047	throughout
036	내부의, 안쪽의	048	biology

049	관찰하다, 준수하다	062	prove
050	우주	063	gravity
051	~ 밑에	064	northern
052	언젠가	065	toward
053	떨어져, 따로	066	noon
054	대륙, 육지	067	galaxy
055	장소, 위치	068	evaporate
056	부족	069	western
057	끊임없이	070	calculate
058	어딘가에	071	surround
059	헛된, 헛수고의	072	decrease
060	~ 건너편에	073	chemistry
061	곧, 즉시	074	mass

075	전진, 진보	088	minute
076	기대하다	089	second
077	여분의	090	quarter
078	외부의, 바깥쪽의	091	orbit
079	자주, 종종	092	lecture
080	감지하다	093	southern
081	나중에	094	compare
082	셀 수 없이 많은	095	rarely
083	수십의, 많은	096	century
084	우주선	097	increase
085	요즘에는	098	physics
086	위쪽으로	099	midnight
087	생각해내다	100	finally

A

1	이점, 장점	11	ban
2	지우다, 삭제하다	12	software
3	검색하다, 찾다	13	convenient
4	전 세계적인	14	contact
5	재산, 소유물	15	curious
6	혁명	16	device
7	아마도	17	connection
8	(과학) 기술	18	effect
9	휴대 가능한	19	expert
10	가상의, 사실상의	20	access

B

1 device
2 revolution
3 effect
4 property
5 software

C

1 advantage
2 technology
3 portable
4 delete
5 expert

D

1 convenient
2 contact
3 worldwide
4 curious

해석

1 우리는 만나기 편한 시간을 조정해야 한다.
2 나는 이메일로 런던에 있는 친구와 연락하고 지낸다.
3 많은 정보가 인터넷을 통해 자유롭게 이용 가능하다.
4 나는 이 세상이 새로운 기술들과 더불어 어떻게 변할지
  궁금하다.

A

1	은유, 비유	11	advice
2	환상, 공상	12	essay
3	이야기	13	award
4	장르, 종류	14	appeal
5	소설	15	classic
6	전기, 일대기	16	emotional
7	상상의, 가공의	17	irony
8	문학	18	review
9	남다, 여전히 ~이다	19	myth
10	시	20	personal

B

1 tale
2 irony
3 poem
4 essay
5 biography

C

1 imaginary
2 literature
3 personal
4 novel
5 myth

D

1 advice
2 metaphors
3 fantasy
4 award

해석

1 나는 너의 충고를 따랐어야 했다.
2 우리는 추상적인 개념을 표현하기 위해 은유를 사용할
  수 있다.
3 그 책은 소년 마법사에 관한 공상 소설이다.
4 그는 훌륭한 글솜씨로 상을 받았다.

A

1	단락	11	master
2	사투리, 방언	12	fluent
3	구별하다	13	native
4	초보의, 초급의	14	translate
5	문법	15	literal
6	편지, 문자	16	remark
7	장벽, 장애물	17	sentence
8	언어	18	standard
9	목적, 의도	19	express
10	차이, 다름	20	hesitate

B

1 purpose
2 dialect
3 standard
4 fluent
5 distinguish

C

1 languages
2 remarks
3 expressed
4 native
5 sentence

D

1 master
2 translate
3 hesitated
4 barrier

해석

1 그는 재미있는 만화를 만들어 내는 데 달인이다.
2 이 문장을 영어로 번역해 주시겠어요?
3 그녀는 그 가방의 가격을 들었을 때 망설였다.
4 나무 한 그루가 도로에 쓰러져서 교통에 장애물이 되었다.

A

1	완전한, 완성하다	11	masterpiece
2	청중, 관객	12	sculpture
3	존경하다, 감탄하다	13	entertain
4	합창단	14	lyrics
5	기구, 악기	15	precious
6	수행하다, 지휘하다	16	performance
7	전시하다	17	artwork
8	구성하다, 작곡하다	18	combination
9	기법, 기술	19	gallery
10	감사하다, 감상하다	20	creative

B

1 instrument
2 creative
3 conduct
4 combination
5 masterpiece

C

1 artwork
2 choir
3 lyrics
4 composed
5 entertained

D

1 admired
2 precious
3 exhibited
4 performance

해석

1 그는 재능 있는 예술가로 존경받는다.
2 내 아이들은 내게 매우 소중하다.
3 많은 그림들이 그 박물관에 전시되어 있다.
4 우리 관현악단은 이번 달에 공연을 할 것이다.

DAY
35 **DAILY TEST**
pp. 238~239

DAY 31-35
7
주차 **누적 TEST**
pp. 240~243

A

1	삽화를 넣다, 설명하다	11	correct
2	편집하다	12	publish
3	성격, 등장인물	13	author
4	강조하다	14	context
5	인용하다	15	fiction
6	비판하다	16	copyright
7	내용물, 목차	17	copy
8	주제, 테마	18	plot
9	의도, 목적	19	volume
10	해석하다, 통역하다	20	disappoint

B

1 correct
2 fiction
3 context
4 interpret
5 quote

C

1 disappoint
2 author
3 edited
4 contents
5 highlighted

D

1 copyright
2 published
3 volume
4 plot

해석

1 누가 그 음악의 저작권을 갖고 있습니까?
2 그 책은 9월에 출간될 예정이다.
3 TV 음량 좀 낮춰 줄래?
4 이 이야기의 줄거리는 매우 흥미진진하다.

p. 240

001	소설	013	context
002	걸작, 명작	014	correct
003	전문가	015	imaginary
004	금지하다	016	admire
005	초보의, 초급의	017	fiction
006	주제, 테마	018	appeal
007	사투리, 방언	019	compose
008	편집하다	020	copyright
009	개인적인	021	difference
010	즐겁게 하다	022	myth
011	환상, 공상	023	disappoint
012	전기, 일대기	024	master

p. 241

025	감사하다, 감상하다	037	remark
026	시	038	classic
027	출판하다	039	sculpture
028	이야기	040	irony
029	연결, 관련성	041	quote
030	문자 그대로의, 직역의	042	curious
031	언어	043	software
032	줄거리, 음모	044	conduct
033	은유, 비유	045	standard
034	내용물, 목차	046	author
035	장벽, 장애물	047	review
036	결합, 조합	048	complete

p. 242

049	출생지의, 원주민	062	emotional
050	기법, 기술	063	character
051	편리한	064	access
052	목적, 의도	065	remain
053	합창단	066	device
054	문법	067	contact
055	강조하다	068	instrument
056	구별하다	069	technology
057	의도, 목적	070	lyrics
058	단락	071	worldwide
059	귀중한, 값비싼	072	copy
060	수필, 에세이	073	revolution
061	미술관	074	audience

p. 243

075	충고, 조언	088	sentence
076	창의적인	089	portable
077	표현하다, 급행열차	090	hesitate
078	예술 작품	091	letter
079	유창한	092	probably
080	책, 권	093	criticize
081	재산, 소유물	094	effect
082	공연	095	exhibit
083	이점, 장점	096	literature
084	번역하다	097	award
085	검색하다, 찾다	098	interpret
086	삽화를 넣다, 설명하다	099	genre
087	지우다, 삭제하다	100	virtual

DAY 36 DAILY TEST

pp. 248~249

A

1	관습	11	discover
2	예배, 숭배	12	heritage
3	적절한, 적당한	13	relate
4	고대의, 옛날의	14	tribe
5	대성당	15	religious
6	고귀한, 귀족의	16	costume
7	다문화의	17	imitate
8	축제, 잔치	18	ceremony
9	다양성	19	traditional
10	문명	20	proverb

B

1 worship
2 traditional
3 noble
4 cathedrals
5 civilization

C

1 discovered
2 heritage
3 tribe
4 festival
5 ancient

D

1 imitate
2 ceremony
3 custom
4 proper

해석

1 아이들은 부모를 모방하는 경향이 있다.
2 오전 10시에 졸업식이 있을 예정이다.
3 크리스마스에 선물을 주는 것은 관습이 되었다.
4 그것은 학생으로서 적절한 행동이 아니다.

A

1	즉시, 당장	11	at least
2	혼자	12	by accident
3	곤경에 처한	13	on the other hand
4	~에 관해서	14	at last
5	~ 도중에	15	in return
6	어려움에 처한	16	for free
7	한 번에	17	by mistake
8	~ 이외에	18	for fun
9	잠시 동안	19	in general
10	그때, 그 당시에	20	in harmony with

B

1 그녀는 관현악단과 조화를 이루어 연주하고 있었다.
2 그는 재미삼아 기타를 배우기 시작했다.
3 그녀는 자신의 인생을 어려움에 처한 사람들을 돕는 데 바쳤다.
4 그는 집에 돌아오는 길에 이상한 소리를 들었다.
5 이 소포 외에 부쳐야 할 편지가 12통 있다.

C

1 at once
2 for free
3 for a while
4 at least
5 by accident

D

1 At that time
2 by mistake
3 In general
4 in trouble

해석

1 그 당시에 나는 초등학생이었다.
2 나는 실수로 내 가방 대신에 그의 가방을 가져갔다.
3 일반적으로, 남자들은 생머리를 한 여자들을 좋아한다.
4 제가 곤란한 때에 당신이 도와줘서 정말 고마웠습니다.

A

1	구하다, 저축하다	11	close
2	자유로운, 공짜의	12	fire
3	놓치다, 그리워하다	13	match
4	달리다, 운영하다	14	well
5	생산하다, 양보하다	15	play
6	올리다, 모금하다	16	bill
7	옳은, 오른쪽의	17	matter
8	감독하다, 직접적인	18	address
9	국가, 상태, 말하다	19	mind
10	다루다, 치료하다	20	will

B

1 오른쪽의
2 운영하다
3 유언
4 절약하다
5 양보하다

C

1 direct
2 address
3 treat
4 state
5 match

D

1 bill
2 matter
3 raise
4 mind

해석

1 이 지폐를 동전으로 바꿔 주세요.
2 그것은 생사가 걸린 문제이다.
3 질문이 있다면 그냥 손을 드세요.
4 나는 그 동아리에 가입하지 않기로 결정했다.

A

1	확신하는, 어떤	11	beat
2	용서하다, 변명하다	12	field
3	기간, 용어	13	draw
4	잡다, 개최하다	14	plain
5	지원하다, 적용되다	15	rest
6	드문, 덜 익은	16	company
7	순서, 명령, 주문	17	figure
8	블록, 덩어리, 막다	18	fortune
9	물건, 반대하다	19	scale
10	지난, 마지막의	20	count

B

1 끌다
2 분야
3 명령하다
4 확신하는
5 지원하다

C

1 company
2 plains
3 beat
4 object
5 figure

D

1 last
2 field
3 holding
4 rest

해석

1 우리는 마지막 열차를 타야 한다.
2 그들은 들판에서 함께 산책 중이다.
3 그녀는 왼손에 휴대 전화를 쥐고 있었다.
4 너는 나머지 돈으로 무엇을 할 거니?

A

1	다루다, 거래	11	account
2	요금, 청구하다	12	pupil
3	나뭇가지, 지점	13	safe
4	정장, 어울리다	14	industry
5	짖다, 나무껍질	15	reason
6	평평한, ~조차	16	press
7	궁금하다, 놀라다	17	rate
8	공정한, 박람회	18	level
9	게시판, 탑승하다	19	lay
10	대표하다, 나타내다	20	race

B

1 지점
2 높이
3 근면
4 인종
5 나타내다

C

1 fair
2 account
3 board
4 wonder
5 safe

D

1 barks
2 Press
3 reason
4 charge

해석

1 그 개는 항상 나를 보고 짖는다.
2 기계를 켜려면 버튼을 누르시오.
3 어떤 이유에서인지 나는 하루 종일 배가 고프지 않다.
4 니는 그 영어 강좌를 무료로 들을 수 있다.

p. 274

001	확신하는, 어떤	013	hold
002	궁금하다, 놀라다	014	ceremony
003	게시판, 탑승하다	015	draw
004	휴식, 나머지	016	custom
005	때리다, 이기다, 박자	017	race
006	다루다, 치료하다	018	apply
007	적절한, 적당한	019	right
008	회사, 친구	020	ancient
009	용서하다, 변명하다	021	address
010	공정한, 박람회	022	plain
011	생산하다, 양보하다	023	tribe
012	적어도	024	matter

p. 275

025	마음, 꺼리다	037	bill
026	평평한, ~조차	038	fire
027	드문, 덜 익은	039	will
028	즉시, 당장	040	religious
029	예배, 숭배	041	field
030	놀다, 경기하다, 연극	042	proverb
031	닫다, 가까운	043	level
032	국가, 상태, 말하다	044	fortune
033	올리다, 모금하다	045	figure
034	전통의, 전통적인	046	diversity
035	~ 이외에	047	lay
036	그때, 그 당시에	048	direct

p. 276

049	구하다, 저축하다	062	for free
050	마침내	063	imitate
051	적어도	064	miss
052	관련시키다	065	discover
053	자유로운, 공짜의	066	well
054	고귀한, 귀족의	067	term
055	달리다, 운영하다	068	multicultural
056	~ 도중에	069	in general
057	실수로	070	order
058	곤경에 처한	071	suit
059	블록, 덩어리, 막다	072	heritage
060	잠시 동안	073	object
061	안전한, 금고	074	represent

p. 277

075	시합, 어울리다	088	civilization
076	복장, 옷차림	089	for fun
077	보답으로	090	pupil
078	혼자	091	festival
079	대성당	092	account
080	지난, 마지막의, 지속되다	093	deal
081	짖다, 나무껍질	094	branch
082	한 번에	095	reason
083	누르다, 인돈	096	scale
084	~에 관해서	097	rate
085	우연히	098	charge
086	~와 조화를 이루어	099	count
087	반대로, 반면에	100	industry

중3 교과서
대표 영단어
800

INDEX

이 책에 나온 단어를 찾고 싶을 때,
영어 사전처럼 단어를 암기하고 싶을 때,
40일 뒤에 한 번 더 단어를 복습하고 싶을 때,
활용해 보세요!

A

a number of 수많은	169	
a piece of 한 조각의, 한 장의	168	
abroad 외국에, 외국으로	100	
absorb 흡수하다, (관심을) 빼앗다	144	
absurd 터무니없는, 우스꽝스러운	48	
academic 학업의, 학문의, 학구적인	31	
accept 받아들이다, 수락하다	47	
access 접근, 접속	212	
accident 사고, 우연	40	
accommodate 수용하다, 숙박시키다	101	
accomplish 이루다, 성취하다	55	
account 계좌, 설명, 설명하다	269	
achieve 달성하다, 성취하다	196	
across ~ 건너편에, ~을 가로질러	191	
add 더하다, 추가하다	176	
addict 중독시키다, 중독자	20	
address 주소, 연설	257	
admire 존경하다, 감탄하다	230	
adopt 입양하다, 채택하다	65	
adorable 사랑스러운	9	
advance 전진, 진보, 전진하다, 진보하다	196	
advantage 이점, 장점	211	
adventure 모험	98	
advertisement 광고	92	
advice 충고, 조언	219	
afford 여유가 되다	92	
agreement 합의, 협정	117	
alive 살아 있는	156	
allow 허락하다, 허용하다	115	
allowance 용돈	65	
amount 양, 총액, 액수	166	
ancient 고대의, 옛날의	244	
anniversary 기념일	64	
annoying 짜증나게 하는, 귀찮은	12	
anxious 걱정하는, 열망하는	13	
anytime 언제든지	183	
apart 떨어져, 따로	190	
apology 사과	47	
appeal 흥미를 끌다, 호소하다, 매력	218	
appearance 외모, 겉모습, 등장	6	
appetite 식욕, 입맛	74	
applaud 박수를 보내다	26	
apply 지원하다, 신청하다, 적용되다	263	
appreciate 감사하다, 감상하다	231	
approach 접근하다, 접근	27	
argue 논쟁하다, 주장하다	46	
arrest 체포하다, 체포	120	
arrival 도착	58	
arrogant 거만한	12	
article 기사	41	
artificial 인공의, 인위적인	157	
artwork 예술 작품	229	
asleep 잠이 든	42	
at a time 한 번에	250	
at last 마침내	250	
at least 적어도	250	
at once 즉시, 당장	250	
at that time 그때, 그 당시에	250	
atmosphere 대기, 공기, 분위기	201	
attendant 안내원, 수행원	59	
attention 주의, 집중	49	
attitude 태도	12	
attract (마음을) 끌다	93	
attractive 매력적인	8	
audience 청중, 관객	229	
author 저자, 작가	234	
authority 권한, 권위, 당국	135	
available 이용할 수 있는	81	
avenue 큰 거리, 대로, ~가	127	
average 평균의, 평균	88	
avoid 피하다	156	
award 상, 수여하다, 주다	217	

B

backwards 뒤쪽으로, 거꾸로   191

baggage 여행 짐, 수하물   99

balance 균형, 균형을 잡다   135

ban 금지하다, 금지   211

bandage 붕대, 붕대를 감다   21

bark 짖다, 나무껍질   270

barrier 장벽, 장애물   225

beat 때리다, 이기다, 박동   265

belly 배, 복부   9

benefit 이득, 혜택   149

bill 청구서, 계산서, 지폐, 법안   256

biography 전기, 일대기   219

biology 생물학   196

blend 섞다, 혼합하다   76

block 블록, 구획, 덩어리, 막다   263

blonde 금발의   7

board 게시판, 널빤지, 판자, 탑승하다   271

boastful 자랑하는, 뽐내는   15

border 국경, 경계   132

borrow 빌리다   86

branch 나뭇가지, 지사, 지점   271

breed 새끼를 낳다, 기르다   145

budget 예산, 예산안   89

bump 부딪치다, 충돌하다   27

by accident 우연히   251

by mistake 실수로   251

by oneself 혼자   251

C

calculate 계산하다, 산출하다   179

cancel 취소하다   61

cancer 암   20

capital 수도, 자본, 대문자   127

cathedral 대성당   247

celebrate 축하하다, 기념하다   64

century 세기, 100년   182

ceremony 의식, 식   244

certain 확신하는, 어떤   265

challenging 도전적인   100

character 성격, 특성, 등장인물   234

charge 요금, 책임, 청구하다   269

charity 자선 단체, 자선   133

chase 뒤쫓다, 추적, 추격   121

cheer 응원하다, 응원   108

chemistry 화학   195

childhood 어린 시절   67

choice 선택   94

choir 합창단   228

citizen 시민   114

civil 시민의, 민간의   116

civilization 문명   247

classic 고전의, 고전, 명작   216

clear 명확한, 맑은, 치우다   42

clerk 직원, 점원   54

climate 기후   143

clone 복제하다, 복제 생물   197

close 닫다, 가까운   256

coal 석탄   148

combination 결합, 조합   231

come up with 생각해내다, 떠올리다   197

comment 논평, 의견, 논평하다, 의견을 말하다   49

communicate 의사소통하다, 연락하다   48

company 회사, 친구   262

compare 비교하다, 견주다   179

compete 경쟁하다   33

competition 경쟁, 경기, 시합   108

complain 불평하다, 항의하다   93

complete 완전한, 완성하다   231

compose 구성하다, 작곡하다   228

concentrate 집중하다   110

concern 걱정, 관심, 걱정하다, 관계하다   161

conduct 수행하다, 지휘하다	229	
confident 자신감 있는, 확신하는	14	
conflict 갈등, 충돌, 충돌하다	134	
congratulation 축하	65	
connection 연결, 관계, 관련(성)	213	
conquer 정복하다	134	
conservation 보호, 보존	163	
consider 고려하다, 숙고하다, 여기다	163	
constantly 끊임없이	185	
construct 건설하다	128	
consume 소비하다	81	
contact 연락, 접촉, 연락하다	213	
content 내용물, 목차, 만족하는	236	
context 문맥, 맥락, 정황	235	
continent 대륙, 육지	201	
continue 계속하다, 지속되다	149	
control 지배하다, 통제하다, 지배, 통제	116	
convenient 편리한	211	
cooperate 협동하다, 협력하다	132	
copy 사본, 한 부, 복사하다	236	
copyright 저작권	235	
correct 고치다, 올바른, 정확한	236	
cost 비용, 비용이 ~ 들다	80	
costume 복장, 옷차림	246	
counselor 상담원, 카운슬러	55	
count 세다, 중요하다	263	
countless 셀 수 없이 많은, 무수한	177	
countryside 시골, 지방	129	
couple 한 쌍, 두 개, 부부	169	
courage 용기	14	
course 강의, 과정, 방향	32	
court 법정, 법원, 경기장	120	
crash 충돌하다, 추락하다, 충돌 사고	42	
creative 창의적인, 독창적인	228	
credit card 신용 카드	88	
crime 범죄, 죄	120	
crisis 위기, 고비	149	
criticize 비판하다, 비평하다	235	
crowded 붐비는	59	
cruel 잔인한	123	
cuisine 요리, 요리법	75	
cure 치료하다, 치료(법)	19	
curious 궁금한, 호기심이 많은	212	
curly 곱슬곱슬한, 곱슬머리의	6	
currency 화폐, 통화	88	
custom 관습	245	
customer 고객	95	

D

damage 피해, 손해, 손해를 입히다	154
deal 다루다, 처리하다, 거래	270
debate 토론하다, 토론	46
debt 빚, 부채	86
decade 10년	182
declare 선언하다, 신고하다	117
decrease 감소하다, 줄이다, 감소, 하락	178
dedicate 바치다, 헌신하다	67
defeat 패배시키다, 이기다, 패배	108
degree 학위, 도, 정도	30
delay 지연, 지체, 지연시키다	58
delete 지우다, 삭제하다	212
delicate 연약한, 깨지기 쉬운, 섬세한	15
deliver 배달하다	60
demand 요구, 수요, 요구하다	83
democracy 민주주의, 민주 국가	114
dense 밀집한, 빽빽한, 짙은	143
department 부서, 학과, 매장	32
departure 출발	58
describe 묘사하다, 설명하다	7
despair 절망, 절망하다	157
destination 목적지, 도착지	61
destroy 파괴하다	154
detail 세부 사항	116

detect 감지하다, 알아내다   203

detergent 세제   162

develop 개발하다, 발달하다   83

device 기구, 장치   210

dialect 사투리, 방언   222

difference 차이, 다름   224

difficulty 어려움, 곤경   150

direct 감독하다, 직접적인   256

direction 방향, 지시, 명령   188

disabled 장애가 있는   18

disagree 동의하지 않다, 반대하다   46

disappoint 실망시키다   237

disaster 재해, 재앙, 참사   156

discount 할인, 할인하다   92

discover 발견하다   246

disease 질병, 병   18

disgusting 역겨운, 구역질 나는   76

display 전시하다, 진열하다, 전시, 진열   94

distinguish 구별하다   223

diversity 다양성   245

divide 나누다, 분할하다   176

domestic 국내의, 가정의   133

donate 기부하다, 기증하다   132

double 두 배의, 두 배가 되다   168

dough 가루 반죽   75

downtown 시내에, 시내로   127

dozens of 수십의, 많은   177

drain 물을 빼내다, 배수구   77

draw 그리다, 끌다   262

drown 익사하다, 물에 빠져 죽다   41

dye 염색하다   6

E

earn (돈을) 벌다   87

earthquake 지진   155

eastern 동쪽의, 동양의   189

eco-friendly 환경 친화적인   162

economies 경제학   94

ecosystem 생태계   144

edge 가장자리, 끝, 날   190

edible 먹을 수 있는, 식용의   77

edit 편집하다, 교정하다   237

education 교육   31

effect 효과, 영향, 결과   212

electricity 전기, 전력   148

elementary 초보의, 초급의   225

emit 내뿜다   163

emotional 감정적인, 감동적인   218

employ 고용하다   83

encounter 맞닥뜨리다, 마주치다   54

endless 끝없는, 무한한   203

energy 에너지, 힘, 활기   148

entertain 즐겁게 하다   230

enthusiastic 열렬한, 열광적인   111

entire 전체의   178

entrance 입구, 입장, 입학   31

environment 환경   160

equal 동일한, 평등한, ~와 같다   114

equipment 장비, 설비   82

escape 탈출하다, 탈출   121

essay 수필, 에세이   217

essential 없어서는 안 될, 필수적인   66

establish 설립하다, 확립하다   135

evaporate 증발하다, 사라지다   197

even 평평한, ~조차   269

evidence 증거, 흔적   121

exactly 정확하게   42

examine 조사하다, 진찰하다, 시험하다   43

exchange 교환, 교환하다   86

excuse 용서하다, 변명하다, 변명   265

exhibit 전시하다   228

expect 기대하다, 예상하다   203

expedition 탐험, 원정   99

expense 비용, 지출   88

experience 경험, 경험하다   98

experiment 실험, 실험하다   194

expert 전문가, 전문가의, 능숙한   211

explore 탐험하다, 탐사하다   202

export 수출하다, 수출, 수출품   80

express 표현하다, 급행열차   224

extra 여분의, 추가의, 여분의 것   178

extreme 극도의, 극한의   109

former 이전의, 예전의   117

fortune 부, 재산, 행운   265

forward 앞으로   188

fossil 화석   150

free 자유로운, 한가한, 공짜의   257

frequently 자주, 종종   184

fuel 연료, 연료를 공급하다   148

fundamental 근본적인, 본질적인   117

funeral 장례식   67

F

failure 실패   197

fair 공정한, 적절한, 박람회   268

false 거짓의, 가짜의   43

familiar 익숙한, 낯익은   7

famine 기근, 굶주림   157

fantasy 환상, 공상   216

fare (교통) 요금   59

feast 연회, 잔치   76

festival 축제, 잔치   246

fiction 소설, 허구   234

field 들판, 경기장, 분야   264

figure 수치, 인물, 모습, 몸매   263

final 마지막의, 결승전   110

finally 마침내, 마지막으로   203

financial 재정의, 금융의   89

fire 불, 해고하다   258

flavor 맛   74

flight 비행, 항공편   58

flood 홍수, 범람하다   154

fluent 유창한   225

for a while 잠시 동안   251

for free 공짜로, 무료로   251

for fun 재미로, 재미 삼아   252

forecast 예측, 예보, 예측하다, 예보하다   157

foreign 외국의   99

G

gain 얻다, 늘리다   88

galaxy 은하, 은하계   202

gallery 미술관   229

garage 차고, 주차장   128

gasoline 휘발유, 가솔린   150

generate 발생시키다, 만들어 내다   151

generation 세대   66

genius 재능, 천재   13

genre 장르, 종류   217

germ 세균, 병균   21

get off ~에서 내리다   61

get on ~에 타다   61

get over 극복하다   55

glacier 빙하   142

glance 흘끗 보다, 흘끗 봄   26

global 세계의   132

globe 지구, 지구본, 공, 구   201

goods 상품, 제품   80

government 정부   114

graduate 졸업하다, 졸업생   30

grammar 문법   223

gravity 중력   200

greedy 욕심 많은, 탐욕스러운   14

grind 갈다, 빻다   76

grocery 식료품, 식료품점   66

guilty 유죄의, 죄책감을 느끼는   122

H

half 절반, 2분의 1, 절반의   166

handle 다루다, 처리하다, 손잡이   83

hardworking 열심히 일하는, 근면한   15

harmful 해로운, 유해한   162

heritage 유산   245

hesitate 주저하다, 망설이다   225

highlight 강조하다, 가장 중요한 부분   237

highway 고속도로   129

historic 역사적인, 역사적으로 유명한   98

hold 잡다, 개최하다   264

horizon 지평선, 수평선   142

household 가정, 가족   67

hundreds of 수백의   167

I

identity 신원, 정체성   123

illustrate 삽화를 넣다, 설명하다   235

imaginary 상상의, 가공의   217

imitate 모방하다, 흉내 내다   247

immediately 즉시, 곧   183

immigrate 이민 오다, 이주해 오다   134

immune 면역성이 있는, 면역의   20

import 수입하다, 수입, 수입품   82

impression 인상, 감명, 감동   8

in addition to ~ 이외에, ~에 덧붙여   252

in general 일반적으로   252

in harmony with ~와 조화를 이루어   252

in need 어려움에 처한   253

in relation to ~에 관해서   253

in return 보답으로, 답례로   252

in trouble 곤경에 처한   253

incident 사건   40

income 수입, 소득   94

increase 증가하다, 증가, 인상   178

independent 독립된, 독립적인   115

industry 산업, 근면   270

influence 영향, 영향을 주다   53

ingredient 재료, 성분   75

inner 내부의, 안쪽의   188

innocent 무죄의, 순진한   122

insist 주장하다, 고집하다   48

instruct 가르치다, 지시하다   33

instrument 기구, 악기   229

insurance 보험   21

intelligent 총명한, 똑똑한   31

intention 의도, 목적   237

international 국제적인   53

interpret 해석하다, 통역하다   237

interview 면접, 인터뷰, 면접을 보다, 인터뷰하다   41

invest 투자하다   87

involve 포함하다, 수반하다, 관련시키다   123

irony 역설, 풍자   218

issue 쟁점, 문제   49

J

journey (장거리) 여행   98

judge 재판관, 재판하다, 판단하다   120

K

knowledge 지식   49

L

labor 노동   52

laboratory 실험실, 연구소, 실험용의   194

land 땅, 토지, 착륙하다   60

landscape 경치, 풍경   99

language 언어	222
last 지난, 마지막의, 지속되다	262
later 나중에, 더 뒤의	185
lay 놓다, 눕히다, (알을) 낳다	270
lecture 강의, 강연, 강의하다	196
lend 빌려 주다	86
letter 편지, 문자	222
lettuce 상추	77
level 수준, 정도, 높이	271
license 면허, 면허증	52
lick 핥다	26
literal 문자 그대로의, 직역의	225
literature 문학	216
local 지역의, 현지의	126
location 장소, 위치	188
loss 손실, 손해	157
luxury 사치, 사치품	95
lyrics 노래 가사	231

M

major 주요한, 전공, 전공하다	30
mammal 포유동물	144
manage 경영하다, 관리하다, 그럭저럭 해내다	55
mass 덩어리, 다수, 대량의	179
master 대가, 주인, 숙달하다	222
masterpiece 걸작, 명작	230
match 시합, 성냥, 어울리다	259
material 재료, 물질	95
matter 문제, 중요하다	257
maximum 최대의, 최고의, 최대	169
measure 측정하다, 재다, 조치	167
medicine 약, 의학	18
melt 녹다, 녹이다	161
mental 정신의, 마음의	19
mess 엉망인 상태	65
metaphor 은유, 비유	218

method 방법, 수단	194
midnight 자정, 밤 12시	183
million 백만	166
mind 마음, 꺼리다, 신경 쓰다	258
minute 분, 잠깐, 순간	184
miserable 비참한, 불행한	156
miss 놓치다, 그리워하다	256
moment 순간, 잠시	100
monument 기념비, 기념물	101
movement 움직임, 이동	25
multicultural 다문화의	244
multiple 다수의, 많은	177
multiply 곱하다	177
mustache 콧수염	7
myth 신화, 미신	218

N

native 출생지의, 모국의, 원주민	222
necessary 필요한, 필수적인	115
neighbor 이웃, 이웃 사람	126
noble 고귀한, 귀족의	246
noon 정오, 낮 12시	182
normal 정상의, 보통의	9
northern 북쪽의, 북부의	189
notice 주의, 주목, 알아차리다	24
novel 소설	216
nowadays 요즘에는	182
nuclear 원자력의	149
nutrition 영양	19

O

object 물건, 목적, 반대하다	264
observe 관찰하다, 준수하다	194
obtain 얻다, 획득하다	53
occupation 직업	52

ocean 대양, 바다	142	
odd 이상한, 홀수의	178	
offer 제공하다, 제안하다, 제공, 제안	95	
official 공무상의, 공무원, 관리	116	
on one's way ~ 도중에	253	
on the other hand 반대로, 반면에	253	
opinion 의견, 견해	46	
opponent 상대, 적수, 반대자	111	
opportunity 기회	54	
oppose 반대하다	47	
opposite 반대의, 맞은편의, 반대쪽	189	
orbit 궤도, 돌다, 선회하다	200	
order 순서, 명령, 주문, 명령하다, 주문하다	264	
ordinary 보통의, 평범한	115	
orphan 고아	64	
outdoor 야외의	108	
outer 외부의, 바깥쪽의	188	
overweight 과체중의, 비만의	9	
owner 주인	128	
oxygen 산소	200	

P

painful 고통스러운, 아픈	20	
pair 짝, 한 쌍	176	
paragraph 단락	223	
participate 참가하다, 참여하다	109	
particular 특별한, 특정한	145	
pass 지나가다, 건네주다, 통과하다	30	
passion 열정	32	
passionate 열정적인	13	
passport 여권	100	
patient 환자, 참을성 있는	18	
pause 잠시 멈추다, 일시 정지	27	
pay back 돌려주다, 갚다	89	
peaceful 평화로운	133	
performance 공연	228	

period 기간, 시기, 마침표	182	
personal 개인적인, 개인의	219	
personality 성격, 특성, 개성	12	
physics 물리학	195	
plain 분명한, 소박한, 평지, 평원	262	
planet 행성	201	
plat form 승강장, 플랫폼	61	
play 놀다, 경기하다, 연주하다, 연극	256	
plenty 많음, 풍부	176	
plot 줄거리, 음모, 음모를 꾸미다	234	
poem (한 편의) 시	217	
poisonous 유독한, 독성의	163	
polar 북극의, 남극의, 극지방의	161	
policy 정책	114	
politics 정치, 정치학	116	
pollute 오염시키다, 더럽히다	160	
population 인구	145	
portable 휴대 가능한, 휴대용의	210	
positive 긍정적인	12	
potential 잠재적인, 가능성이 있는, 잠재력	151	
poverty 가난, 빈곤	155	
powerful 강력한, 영향력 있는	151	
practical 실용적인, 실제적인	33	
precious 귀중한, 값비싼	231	
prefer 더 좋아하다, 선호하다	13	
preserve 보존하다, 지키다	163	
press 누르다, 언론	269	
pretend ~인 체하다, 가장하다	43	
prevent 예방하다, 막다	160	
prey 먹이, 사냥감	145	
price tag 가격표	94	
principle 원리, 원칙	115	
prior 이전의, 사전의	185	
prisoner 죄수	122	
probably 아마도	213	
produce 생산하다, 제작하다	81	
production 생산, 생산량	150	

professional 전문적인, 직업의, 전문가   52

profit 이익, 수익   86

progress 진전, 진보, 진행되다, 나아가다   196

promote 촉진하다, 홍보하다, 승진시키다   83

proper 적절한, 적당한   247

property 재산, 소유물   212

protect 보호하다, 지키다   162

proud 자랑스러운   66

prove 증명하다, 드러나다, 판명되다   195

proverb 속담, 격언   245

provide 제공하다, 공급하다   80

public 공공의, 대중의   126

publish 출판하다, 발행하다   234

punctual 시간을 엄수하는   15

punish 처벌하다   120

pupil 학생, 동공   270

purchase 구입하다, 구입품   93

purify 정화하다, 정제하다   161

purpose 목적, 의도   224

Q

quality 품질   81

quantity 양, 수량   167

quarter 15분, 4분의 1   184

quote 인용하다   235

R

race 경주, 인종   268

rainforest 열대 우림   142

raise 올리다, 모금하다, 기르다   259

rare 드문, (고기가) 덜 익은   265

rarely 좀처럼 ~ 않는, 드물게   185

rate 비율, 속도, 요금   271

raw 날것의, 가공되지 않은   74

realistic 현실적인   14

reason 이유, 이성   268

receipt 영수증   93

receive 받다   93

recent 최근의   183

recognize 알아보다, 인식하다   9

recommend 추천하다, 권하다   100

record 기록, 음반, 기록하다, 녹음하다   89

recover 회복하다   19

recycle 재활용하다, 재생하다   162

reduce 줄이다, 감소시키다   87

refer 언급하다, 참조하다   48

referee 심판   108

reflect 반사하다, 비추다, 반영하다   144

refund 환불, 환불하다   92

region 지역, 지방   127

regular 규칙적인, 정기적인   59

relate 관련시키다   246

relationship 관계   132

relative 친척   65

relax 긴장을 풀다, 쉬다   98

release 석방하다, 풀어 주다, 공개하다   123

relieve 덜다, 없애다, 완화하다   109

religious 종교의   244

remain 남다, 여전히 ~이다   216

remark 발언, 말, 말하다   224

remote 외딴, 외진, 먼   190

represent 대표하다, 나타내다   271

require 필요로 하다, 요구하다   101

rescue 구조하다, 구조   40

research 연구, 조사, 연구하다, 조사하다   194

reserve 예약하다   60

resident 거주자, 거주하는   129

resist 저항하다   134

resource 자원, 물자   150

responsible 책임이 있는   43

rest 휴식, 나머지, 쉬다   264

result 결과, (~의 결과로) 생기다   195

retail 소매상의, 소매   82

retire 은퇴하다   53

return 돌아가다, 돌려주다, 반환   59

reuse 재사용하다, 재사용   160

review 논평, 검토, 논평하다, 검토하다   219

revolution 혁명   211

reward 보상, 보상금, 보상하다   53

right 옳은, 오른쪽의, 오른쪽, 권리   258

rival 경쟁 상대, 경쟁자   109

roast 굽다   75

rob 빼앗다, 훔치다   87

roll 구르다, 굴리다   25

rough 거친   24

routine 판에 박힌 일, 일상의 일   66

rub 문지르다, 비비다   26

run 달리다, 운영하다   259

rural 시골의, 전원의   126

rush 돌진하다, 급히 서두르다, 돌진   25

S

safe 안전한, 금고   268

safety 안전   77

sail 항해하다, 돛   110

salary 급여, 봉급   52

sale 판매, 할인 판매   82

salmon 연어   76

salty 짠맛의   24

satellite 위성, 인공위성   200

satisfaction 만족   95

save 구하다, 저축하다, 절약하다   257

scale 규모, 저울   262

scarce 부족한, 드문, 희귀한   169

scholarship 장학금   32

scold 꾸짖다, 야단치다   64

scream 비명을 지르다, 소리치다, 비명, 절규   155

sculpture 조각, 조각품   230

search 검색하다, 찾다, 검색   210

second 초, 두 번째의   184

security 안전, 안보   122

select 고르다, 선택하다   32

semester 학기   31

sense 감각   24

sensitive 민감한, 예민한   24

sentence 문장, 판결, 선고하다   223

serve 제공하다, 봉사하다, 근무하다   134

settle 해결하다, 정착하다   128

several 몇몇의   168

severe 극심한, 심각한   40

shape 모양, 몸매   8

shore 해안, 해변   142

shortage 부족, 결핍   179

sidewalk 인도, 보도   129

similar 비슷한, 닮은   6

single 단 하나의, 1인용의   169

sink 가라앉다, 싱크대   41

situation 상황   133

skinny 깡마른, 몸에 꼭 맞는   8

skyscraper 고층 건물   129

slender 날씬한, 가느다란   7

slice 조각, 얇게 썰다   74

slip 미끄러지다   27

software 소프트웨어   210

solar 태양의   202

solid 고체, 단단한, 고체의   195

solution 해결책, 해법   160

someday 언젠가, 훗날   183

sometimes 때때로, 가끔   184

somewhere 어딘가에   190

source 근원, 원천, 출처   148

southern 남쪽의, 남부의   189

souvenir 기념품   101

space 우주, 공간, 장소   202

spacecraft 우주선   203

species 종 143

specific 구체적인, 명확한 33

spend 쓰다, 보내다 92

sprain 삐다, 접질리다 110

stadium 경기장 110

standard 표준, 기준, 표준의 224

stare 빤히 보다, 응시하다 27

state 국가, 주, 상태, 말하다 258

station 역, 정거장 60

status 지위, 신분 54

stay up 안 자고 깨어 있다 33

steam 김, 증기, 찌다 77

sticky 끈적거리는, 후텁지근한 75

stir 젓다 74

storm 폭풍, 폭풍우 155

strict 엄격한, 엄한 64

submit 제출하다, 항복하다, 굴복하다 30

subtract 빼다, 덜다 167

suburb 교외, 근교 127

succeed 성공하다 54

suddenly 갑자기 43

suffer (고통을) 겪다, 고통 받다 122

suggest 제안하다 46

suicide 자살 42

suit 정장, 소송, 어울리다 269

sum 금액, 총합 177

supply 공급, 공급하다 81

support 지지하다, 지원하다, 부양하다, 지지, 지원 47

surface 표면, 겉 201

surgery 수술 21

surround 둘러싸다 202

survive 살아남다, 생존하다, 견디다 155

suspect 의심하다, 용의자 123

swamp 늪, 습지 143

T

take care of 돌보다 67

take off 이륙하다 60

tale 이야기 219

talented 재능 있는 15

tax 세금 82

teamwork 팀워크, 협동 111

technique 기법, 기술 230

technology (과학) 기술 210

teenage 십대의 185

temperature 온도, 기온 154

term 기간, 용어 263

terrible 끔찍한, 무서운, 심한 154

territory 영토 128

theme 주제, 테마 236

theory 이론, 학설 47

therapy 치료, 요법 19

third 세 번째의 176

thousands of 수천의 167

threat 위협, 협박 133

throughout ~의 도처에, ~ 동안 내내 190

tide 조수, 조류 144

tissue 조직, 화장지 21

topic 화제, 주제 48

tough 힘든, 강인한 101

toward ~를 향하여, ~ 쪽에 191

trade 거래, 무역, 거래하다, 무역하다, 교환하다 80

traditional 전통의, 전통적인 245

transform 변형시키다, 바꾸다 151

translate 번역하다, 해석하다 223

transportation 교통, 교통 수단 58

treasure 보물 99

treat 다루다, 치료하다, 대접, 한턱내기 259

treatment 치료, 대우 18

tribe 부족, 종족 244

triple 세 배의, 세 배가 되다 179

tropical 열대의, 열대성의   145

trouble 곤란, 곤경, 괴롭히다   41

twice 두 번, 두 배로   168

typhoon 태풍   156

U

underneath ~ 밑에, 아래에   191

undeveloped 미발달의, 미개발의   117

unfair 불공평한, 부당한   89

unification 통일   135

unite 연합하다   135

universe 우주   200

unusual 특이한   13

upward 위쪽으로   191

V

vain 헛된, 헛수고의   197

valuable 귀중한, 가치 있는   111

various 다양한, 여러 가지의   166

vehicle 차량, 탈 것   151

view 견해, 관점, 경치   49

violent 폭력적인, 난폭한   121

virtual 가상의, 사실상의   213

volume 책, 권, 양, 음량   236

volunteer 자원봉사자, 자원하다   161

W

wander 돌아다니다, 배회하다   26

warn 경고하다, 주의를 주다   109

waste 낭비, 쓰레기, 낭비하다   149

waterfall 폭포   143

weaken 약화시키다   20

weigh 무게를 재다, 무게가 ~ 나가다   166

well 건강한, 우물, 잘   257

western 서쪽의, 서양의   189

whisper 속삭이다, 속삭임   25

whole 전체의, 모든, 전체   168

wig 가발   6

will 의지, 유언   258

witness 목격자, 목격하다   121

witty 재치 있는   14

wonder 궁금하다, 놀라다, 놀라움   268

work out 운동하다   111

worldwide 전 세계적인   213

worship 예배, 숭배, 예배하다, 숭배하다   247

worth 가치가 있는, 가치   87

worthwhile 가치 있는   55

wound 상처, 부상, 상처를 입히다   40

wrinkle 주름, 주름살 지다   8

Y

yell 소리치다, 고함을 지르다   25

yield 생산하다, 양보하다   259

Z

zone 구역, 지대   126

홈페이지에서
단어 쪽지시험 프로그램을 이용하세요!

단어 쪽지시험을 만드는 방법!

❶ www.didimdol.co.kr ∨ 에 접속하세요.

❷ 간단한 회원 가입 후, 로그인 하세요.

❸ 상단 메뉴에서 '**영어 ▶ 단어 쪽지시험**'을 클릭하세요.

❹ 쪽지시험을 볼 교재와 단위 그리고 **기타 조건**을 선택하세요.

❺ '**시험지 제작하기**' 버튼을 클릭하면~ 짠! 나만의 쪽지시험지 완성!

* 쪽지시험은 워드나 엑셀 파일로 저장할 수 있고, 로그인 후 언제든지 사용 가능합니다.